ALIMENTATION, NUTRITION ET DIÉTÉTIQUE

Données de catalogage avant publication (Canada)

Dulude, Mario, 1962-

Alimentation, nutrition et diététique

ISBN 2-7640-0035-9

1. Alimentation. 2. Santé – Aspect nutritionnel. 3. Diététique. 4. Aliments naturels. I. Titre.

RA784.D84 1997   613.2   C96-941476-5

LES ÉDITIONS QUEBECOR
7, chemin Bates
Bureau 100
Outremont (Québec)
H2V 1A6
Téléphone: (514) 270-1746

© 1997, Les Éditions Quebecor
Dépôt légal, 1er trimestre 1997

Bibliothèque nationale du Québec
Bibliothèque nationale du Canada
ISBN: 2-7640-0035-9

Éditeur: Jacques Simard
Coordonnatrice à la production: Dianne Rioux
Conception de la page couverture: Bernard Langlois
Photo de la page couverture: Réflexion/Photothèque
Révision: Francine St-Jean
Correction d'épreuves: Jocelyne Cormier
Infographie: Composition Monika, Québec
Impression: Imprimerie L'Éclaireur

ALIMENTATION, NUTRITION ET DIÉTÉTIQUE

Mario Dulude, N.D.

LES ÉDITIONS
Quebecor

Remerciements

- À Suzanne, pour son encouragement et son soutien moral.

- À mon père Clément, pour son dévouement, sa patience et sa grande sagesse.

- À Françoise, pour son «doigté» et ses dessins.

Cet ouvrage est publié avec le concours de la Fondation Jacques Baugé-Prévost.

Une question de bon goût

S'il existe un propos que nous devons reprendre et actualiser à chaque génération, c'est bien celui de la nutrition.

Dans son célèbre roman, *Vingt mille lieues sous les mers*, publié il y a plus de cent ans, le grand écrivain d'anticipation scientifique Jules Verne (1828-1905) a mis dans la bouche de son héros, le capitaine Nemo, des déclarations qui, à l'époque, ont surpris nombre de lecteurs. En effet, le maître du prodigieux sous-marin, le *Nautilus*, déclare à son hôte involontaire, le professeur de zoologie marine Aronnax, que toute son alimentation permanente, ainsi que celle de son équipage, est entièrement et exclusivement fournie par la mer: la chair par les poissons, les cétacés, les crustacés et les coquillages; les légumes de toutes sortes par les algues marines.

Cette belle histoire pourtant inventée indiquait déjà une vue globale de la réalité. Ainsi, nous devons à la mer beaucoup plus que ne le soupçonneraient la plupart des individus. Non seulement l'oxygène que nous respirons et l'ozone qui nous protège des rayons ultraviolets proviennent en très grande partie – directement ou non – des algues, mais tous les végétaux sont les descendants de ces premières plantes qui ont façonné notre Terre nourricière. Ajoutons à cela les nombreux remèdes que nous en tirons. C'est de ce trésor alimentaire que l'auteur dresse ici la liste utile.

Dans une époque comme la nôtre où l'industrie, la chimie, la radioactivité et la pharmacologie se sont considérablement développées, il n'est pas facile de s'efforcer d'aller vers un mieux-être. Même si nos organismes ne reçoivent plus des aliments les plus communs, les mêmes substances nutritives qu'autrefois, nous avons toujours la possibilité de faire les meilleurs choix et de trouver d'autres ressources.

À coup sûr, cet ouvrage aidera les personnes qui cherchent à donner un meilleur goût à leur nourriture. Pour cela, il y a des mesures que nous devons prendre individuellement. Apprendre à connaître nos réactions face à certains aliments, faire de la bonne nourriture une étude passionnante et miser sur la convivialité constitue la base d'un état optimal de santé où toutes les dimensions de l'être (âme, esprit, corps) peuvent s'harmoniser et assurer un véritable bonheur.

Micheline Beauchamp, N.D.
Directrice
Institut pour l'étude de la naturothérapie

Introduction

Je tiens à souligner que ce livre n'est pas un recueil de recettes magiques. La vraie santé ne s'acquiert pas au prix des vendeurs de panacées. L'authentique santé est le fruit d'un travail quotidien. Rien n'est gratuit en ce monde et l'on doit toujours payer le prix de ce que l'on désire. Vous souhaitez la santé? Eh bien, le prix à payer, c'est l'effort... intelligemment!

Il existe six facteurs naturels pour être en santé: la CHALEUR, l'AIR, l'EAU, le MOUVEMENT, le REPOS et l'ALIMENTATION*.

La chaleur sous-entend la «chaleur humaine». Être en harmonie avec soi et ses semblables, c'est être chaleureux. Ne faut-il pas d'ailleurs «être en chaleur» pour assurer la transmission de la vie? Globalement, c'est le facteur le plus important pour le nouveau-né. La chaleur comprend aussi les notions de calorie et d'énergie lumineuse. Nous brûlons (combustion sans flamme) nos aliments pour entretenir la vie et le renouvellement des milliards de cellules qui constituent l'ensemble de notre être physique.

L' air est l'aliment premier de l'être humain. Nous pouvons vivre quelques jours sans boire, quelques semaines sans manger, mais

---

* Les lettres majuscules indiquent que ces termes doivent être pris dans leur signification globale et intégrale. *Exemple:* EAU: Océans, rivières, fleuves, pluie, sève, sang, lymphe, eau intracellulaire, liquide amniotique, etc.

pas plus de quelques minutes sans air. Cet aliment que nous respirons se doit d'être le plus sain possible. Évitons le tabagisme, les lieux enfumés et l'air pollué. Profitons de nos moments de détente pour aller s'oxygéner à la campagne ou en forêt, loin des villes.

L'eau constitue plus de 70% de notre corps. C'est elle qui assure le drainage de notre organisme. Par drainage, on entend non seulement l'évacuation des toxines métaboliques du corps humain, mais aussi la bonne assimilation des nutriments par ce dernier. L'eau pure est donc la meilleure boisson pour nous.

«Le mouvement, disait Gœthe, c'est aussi la vie.» En effet, sans le mouvement, aucune vie métabolique ne serait possible pour nous (mouvement du cœur, des muscles, du tube digestif, etc.). Bouger est vital, et la sédentarité que nous apportent nos sociétés dites modernes nuit à notre métabolisme (digestion, assimilation et élimination).

Le repos, lorsqu'on a bien bougé, est plus important que manger. En effet, après un sport intensif ou un travail physiquement exigeant, il faut d'abord penser à se reposer.

La bonne digestion exige un effort de notre tube digestif ainsi qu'un échange important des nutriments avec le réseau sanguin. Si le sang est sollicité par le travail musculaire, la digestion s'en trouvera ralentie, voire stoppée.

Enfin, l'alimentation vient clore la hiérarchie des facteurs naturels de santé. Bonne dernière, mais très attirante, elle n'en demeure pas moins une base essentielle à la santé physique, mentale et spirituelle. Nous mangeons souvent trop ou mal. Nous allons voir pourquoi dans les pages qui suivent.

1

Argumentations historiques, anthropologiques et anatomiques

L' être humain est-il un végétarien ou peut-il manger de la chair animale ? Voilà la question essentielle qui sera débattue en guise d'introduction. Pour savoir ce dont notre organisme a besoin pour se nourrir, il faut faire un retour en arrière et dans l'histoire de la race humaine. Nos origines remontent à la nuit des temps. Nos lointains ancêtres étaient originellement des frugivores, c'est-à-dire qu'ils ne consommaient que des fruits ou presque.

Avec l'évolution et les changements climatiques survint un phénomène appelé l'adaptation. Les grandes forêts qui pourvoyaient nos ancêtres en fruits de toutes sortes commencèrent à diminuer. Cela obligea l'*homo sapiens* à se déplacer pour trouver sa nourriture. La marche et la station verticale qui nous caractérisent apparurent au fil des millénaires. Aussi, nos aliments devinrent plus variés. En plus des fruits, notre ancêtre compléta son menu avec des racines, des légumes, des noix et des céréales sauvages.

Plus tard, les refroidissements climatiques amenèrent l'homme primitif à se chauffer, par la domestication du feu, et à élargir encore la variété de sa ration alimentaire avec les viandes.

De grands changements se produisirent alors. En plus de la cueillette, de la chasse et de la pêche, l'être humain développa l'élevage et l'agriculture. De nombreux peuples devinrent alors semi-nomades (éleveurs de bétails) ou complètement séden-taires (agriculteurs).

Avant la décadence romaine – et ses orgies alimentaires –, de nombreux peuples eurent une nourriture à large prédominance végétarienne, par exemple les Grecs, les Égyptiens, les anciens Romains, et bien d'autres.

C'est surtout à partir de l'époque de Charlemagne (ce dernier pouvait manger le quart d'un mouton en un seul repas) que la viande devint très abondante dans le régime alimentaire des hu-mains. En fait, c'était alors l'aliment principal.

Puis, la viande est devenue pour l'être humain un besoin essen-tiel. Il est remarquable de noter que les populations nourries exclusivement de façon végétarienne sont en général moins ré-sistantes face aux grandes épidémies. De plus, des altérations profondes, tant tant sur les plans morphologique que psychique, sont observables chez ces populations.

Il faut bien comprendre qu'une alimentation fortement carnée apporte, elle aussi, son lot de problèmes. En effet, on note chez les populations qui consomment beaucoup de viande les trou-bles de santé suivants: cholestérol, arthritisme, vieillissement précoce, cancers, etc.

En fait, la consommation de viande doit s'ajuster à notre activité physique. À ce sujet, on peut citer le cas d'Argentins qui mangent facilement deux à trois repas par jour de viande sans être incom-modés. Toutefois, la vie au grand air produit chez eux une élimi-nation très active.

On peut aussi remarquer que les Inuits qui se nourrissent pres-que exclusivement de graisses et d'huiles animales n'éprouvent pas de troubles particuliers puisqu'ils vivent dans un climat ri-goureusement froid. Ces populations n'ont cependant pas une espérance de vie très longue.

À l'opposé de ces dernières constatations, on peut citer des peu-ples vivant avec un régime à 90% végétarien et se portant très bien: Hounza, Tibétains, etc. Chez ces derniers, on note une espérance de vie plus longue.

Il ne peut pas vraiment exister de règles absolues, valables pour tous les êtres humains de tous les pays. On peut cependant suggérer un régime à forte prédominance végétarienne. Donc, environ 80% de nos aliments devraient être d'origine végétale et environ 20% d'origine animale (viande, poisson, lait, fromage, yogourt, œufs.)

C'est plutôt à l'individu que revient le choix de son alimentation, en tenant compte de son activité physique, de son tempérament, de son hérédité.

Voici quelques arguments anatomiques qui penchent en faveur d'une alimentation de type omnivore, donc variée.

La dentition

Si nous comparons notre dentition à celle des animaux carnivores et à celle des animaux herbivores (végétaliens), nous constatons que nous n'appartenons ni à l'une ni à l'autre de ces deux catégories.

Chez les carnivores, les canines (crocs) sont très longues, pointues, lisses et un peu recourbées. Elles ne servent pas à mastiquer, mais à saisir et à tuer une proie. Les molaires, toutes pointues, servent à déchiqueter les chairs et le mouvement de trituration leur est absolument impossible.

Chez les herbivores, les incisives sont particulièrement développées. Elles leur servent à couper l'herbe et les plantes. Ici, les canines ne servent pas à l'alimentation. Elles sont souvent très petites. Par contre, les molaires sont larges et émaillées seulement sur le côté. Elles servent à écraser et à triturer les aliments.

Chez l'homme et les primates, la dentition est assez uniforme. Les canines dépassent à peine les autres dents. Nous avons toujours la denture des frugivores, mais nous avons ajouté la viande à notre menu par nécessité.

TUBE DIGESTIF

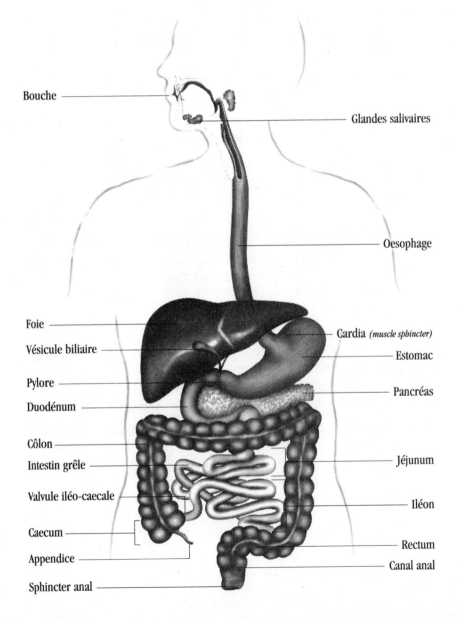

Bouche

Glandes salivaires

Oesophage

Foie

Cardia *(muscle sphincter)*

Vésicule biliaire

Estomac

Pylore

Pancréas

Duodénum

Côlon

Jéjunum

Intestin grêle

Valvule iléo-caecale

Iléon

Caecum

Rectum

Appendice

Canal anal

Sphincter anal

LE SENS DU GOÛT

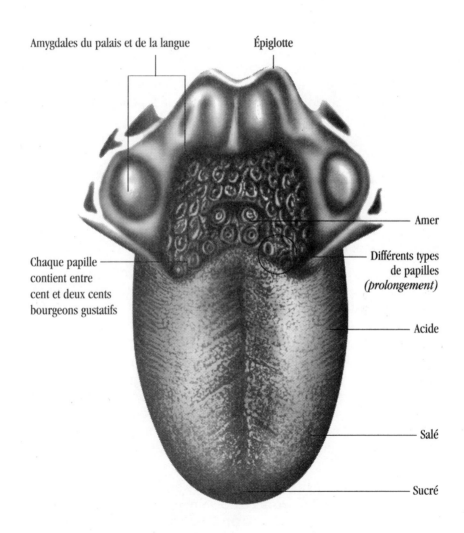

Amygdales du palais et de la langue

Épiglotte

Amer

Chaque papille contient entre cent et deux cents bourgeons gustatifs

Différents types de papilles *(prolongement)*

Acide

Salé

Sucré

Le tube digestif

Là aussi, il existe de grandes différences entre les hommes, les carnivores et les herbivores. Voyons le tableau suivant.

	CARNIVORES	HERBIVORES	FRUGIVORES ET HOMMES
ESTOMAC	Petit et suc digestif très acide	Énorme (panse)	Moyen et suc digestif moyennement acide
INTESTIN	court, environ quatre à cinq fois la longueur du corps	Long, environ 25 fois la longueur du corps	Moyen, environ 10 fois la longueur du corps

En conclusion, l'être humain était primitivement frugivore puis, par adaptation, il réorienta son alimentation au cours des temps. Nous pouvons donc nous adapter à tous les types d'aliments. L'homme est omnivore à prédominance végétarienne, et non à prédominance carnée.

Le tube digestif s'étend des lèvres à l'anus. Il comprend: la bouche, la gorge, l'œsophage, l'estomac, l'intestin grêle et le côlon. En plus, deux organes annexes aux fonctions digestives jouent un rôle très important lors du processus digestif (et même après): le foie et le pancréas.

Déjà au niveau des lèvres, on note une légère absorption des substances liquides. La langue également y joue un rôle. Mais la fonction principale de la cavité buccale reste la prédigestion. En effet, c'est ici que la digestion de nos aliments débute.

Pour entreprendre cette digestion, nous possédons deux fonctions très importantes mais souvent négligées: la salivation et la mastication. La salivation est la faculté qu'ont nos glandes salivaires de fabriquer de la salive. Cette dernière renferme un enzyme très puissant, l'amylase salivaire ou ptyaline. Cet enzyme permet de digérer la moitié des sucres. D'où l'importance de bien insaliver nos aliments, surtout les hydrates de carbone (les pâtes alimentaires, les pains, les céréales, etc.).

Pour bien insaliver nos aliments, nous possédons également la mastication, qui nous permet de défaire nos aliments pour qu'ils puissent être bien insalivés. De plus, une bonne mastication permet de réduire le travail de la digestion qui sera effectué par l'estomac et l'intestin grêle.

La langue nous permet de mieux mélanger notre salive à notre nourriture. Elle sert aussi à avaler et, bien sûr, à parler.

Une fois que nos aliments ont été bien mastiqués et qu'ils sont avalés, l'œsophage les reçoit pour les diriger vers l'estomac. Une bouchée moyenne d'aliments met entre quatre et huit secondes pour traverser l'œsophage et se rendre à l'estomac ; une gorgée de liquide, seulement une seconde. L'œsophage n'a pratiquement pas de rôle digestif puisqu'il est un organe de nature rythmique. Ici commence le mouvement péristaltique du tube digestif, c'est-à-dire un mouvement de brassage qui sert à mélanger et à faire avancer la nourriture dans le tube digestif.

Après l'œsophage vient l'estomac. Son entrée est fermée par le cardia, sorte de sphincter qui empêche les aliments de remonter. Le rôle principal de l'estomac est la digestion des aliments protidiques. Cette dernière se poursuit ici sous deux formes : mécanique et chimique. La digestion mécanique de l'estomac rappelle, d'abord et avant tout, le rôle de la langue dans notre bouche. En effet, le brassage effectué ici sert à mélanger nos aliments aux sucs gastriques sécrétés par la paroi stomacale.

La digestion chimique opérée par l'estomac est un vrai travail de titan. Les protéines y sont réduites en acides aminés simples. Le lait y caille un peu, de la même façon que lorsqu'on fabrique le yogourt.

Les sucres et les corps gras ne sont pas attaqués par les sucs digestifs de l'estomac. Mais la trop grande présence de corps gras peut cependant retarder la digestion des protéines.

L'estomac produit des enzymes digestifs mais aussi de l'acide chlorhydrique. Cet acide est assez corrosif pour brûler un tapis en quelques secondes. Soumis continuellement à l'action de l'acide chlorhydrique, la paroi interne de l'estomac (la muqueuse) se refait tous les trois jours environ.

Au bout de deux à quatre heures de digestion (un repas normal), la bouillie qui pénètre alors dans notre intestin grêle ne ressemble plus du tout à ce que nous avons avalé plus tôt. D'ailleurs, aucun aliment n'est profitable à notre organisme sous sa forme originelle. Il doit être digéré avant d'être assimilé. L'intestin grêle (qui veut dire petit) terminera la digestion chimique de nos aliments, principalement dans sa première partie: le duodénum.

Deux organes annexes à la digestion entrent ici en fonction: le foie, qui déverse sa bile pour émulsifier les corps gras et le pancréas, qui déverse son suc pancréatique qui, à son tour, terminera la digestion des sucres, des protéines et des corps gras. Le mouvement péristaltique poursuit le brassage des aliments pour en extraire le plus possible les matières nutritives qu'ils contiennent.

Maintenant commence l'absorption des nutriments. Acides aminés, sucres simples, gouttelettes de gras, vitamines, enzymes et minéraux vont passer la barrière intestinale. Au commencement était la langue, mais il y a aussi des petites langues qu'on appelle villosités intestinales. Chaque centimètre carré d'intestin grêle renferme 3000 villosités et 1,5 milliard de microvillosités. La surface interne de l'intestin grêle est environ 600 fois plus grande que sa surface externe. L'intestin grêle produit des sécrétions, environ 2 litres de mucus par 24 heures, qui facilite le transit intestinal. Le mucus est une sorte de lubrifiant qui aide à faire glisser le bol alimentaire.

Une fois que nos aliments ont parcouru notre intestin grêle, les résidus doivent être éliminés. C'est le rôle du côlon (ou gros intestin).

Le côlon, en plus de sa fonction d'élimination, a pour but de récupérer le plus de liquide possible. Cette action se situe surtout au niveau du côlon ascendant.

Les liquides, une fois récupérés, pénètrent le réseau sanguin tout comme les nutriments absorbés par l'intestin grêle et gagnent le foie.

Le foie est l'un des plus merveilleux laboratoires que nous offre la nature. Il fait la sélection de ce qui est utile ou inutile pour le corps humain. Il peut stocker plusieurs substances (sucres, acides aminés, graisses, vitamines, enzymes, etc.) et les libérer lorsqu'une demande se fait sentir.

C'est aussi le principal organe antitoxique du corps humain. En effet, il neutralise les toxines que nous consommons (alcool, produits médicamenteux, tabac, caféine, etc.) et celles que nous fabriquons (les toxines, qui sont des résidus du métabolisme normal du corps humain).

Le foie est l'organe aux mille et une fonctions. Il a un rôle à jouer dans la coagulation normale du sang, dans l'activation de la vitamine D, dans la synthèse du cholestérol et des triglycérides, dans le métabolisme glucidique (diabète, hypoglycémie), etc. On ne peut vivre sans foie. C'est le «cerveau» du pôle métabolique.

SAVIEZ-VOUS QUE...

- Nos intestins traitent quotidiennement environ 10 litres d'aliments, de liquides et de sécrétions organiques.
- Le foie est constitué de 300 milliards de cellules hépatiques, et chacune d'elles représente un foie en miniature. Ce même organe peut se régénérer par lui-même (jusqu'à une certaine limite bien sûr), ce qui en fait l'organe le plus résistant du corps humain.
- La langue ne peut distinguer que le sucré, le salé, l'amer et l'acide. Nous goûtons donc les saveurs grâce à notre nez. Même sans estomac, nous aurions faim...

2

La tripartition des corps nutritionnels

Les calories

Pour assurer le bon fonctionnement du corps humain, il faut produire de la chaleur. Or, pour y parvenir, nous devons manger. En effet, ce sont nos aliments qui, un peu à la façon d'une bûche dans un poêle à bois, seront brûlés. Cette combustion s'effectue principalement par l'activité musculaire, mais aussi par toutes les fonctions du métabolisme normal du corps. Les calories sont donc essentielles à la vie.

Le mot calorie vient du latin *calor*, qui signifie chaleur. On détermine en calories la valeur énergétique d'un aliment. En fait, c'est la quantité de chaleur qu'un aliment peut fournir au corps humain.

Comme nous le montre le tableau suivant, la plus grande source de calories provient des matières grasses (lipides). L'alcool arrive au deuxième rang avec 6 calories par gramme, tandis que les sucres et les protéines viennent au troisième rang avec seulement 4 calories par gramme. Donc, si on surveille son poids, il faut d'abord réduire les lipides et l'alcool.

LIPIDES	9 calories par gramme
GLUCIDES	4 calories par gramme
PROTIDES	4 calories par gramme
ALCOOL	6 calories par gramme
EAU	0 calorie par gramme

Voici les différentes sources de protéines, de sucres et de matières grasses.

Les protéines : les briques de l'édifice humain

De la plus petite cellule aux plus grands de nos tissus, c'est la structure protidique qui élabore notre corps. Les protéines constituent donc les «briques» nécessaires à la construction de l'édifice humain. Elles sont essentielles à la constitution de la matière vivante.

Nous savons aussi que nos muscles sont notre grande réserve de protéines et que notre système musculaire est «le plus complètement lui-même» au niveau de notre pôle métabolique. Les sources de protides sont les aliments par excellence du système moto-génito-digestif avec ses nombreuses ramifications motorythmiques et neuromotrices.

Les protéines sont constituées d'acides aminés, ce qui fait qu'une protéine est justement une association de ces éléments azotés. Il existe 22 acides aminés, dont 8 sont essentiels, car ils ne peuvent être élaborés par le corps humain. Nous devons les retrouver quotidiennement dans nos aliments. Pour qu'une protéine soit jugée complète, il lui faut les huit acides aminés essentiels suivants.

LYSINE : Elle joue un rôle important dans la croissance. Certains animaux que l'on carence volontairement en lysine présentent, à plus ou moins long terme, des os mal calcifiés. La lysine stimule l'appétit, améliore les fonctions digestives. Sa carence entraîne de l'anémie. Elle aurait aussi un rôle à jouer dans l'ovulation de la femme.

TRYPTOPHANE: Chez les rats, sa carence aboutit à la mort. La tryptophane joue un rôle très important dans la synthétisation de l'acide nicotinique (vitamine B_3 ou « PP ») par le corps humain. La carence en tryptophane occasionne des symptômes de pellagre.

ARGININE: C'est surtout un tonique du foie. Elle joue un rôle important dans le métabolisme des protides. Sa carence affaiblirait la virilité et son absence totale entraînerait la stérilité.

HYSTIDINE: Essentielle à la croissance, l'hystidine joue un rôle important dans la formation des nucléoprotéines et dans la fabrication du sang par la moelle des os.

PHÉNYLALANINE: Son rôle majeur consiste à ce que le corps utilise bien la vitamine C. Sa carence est reliée à certaines insuffisances mentales.

CYSTINE: C'est sa richesse en soufre qui contribue à la solidité des cheveux et des ongles. Elle est très abondante dans la kératine de la peau.

ACIDE GLUTAMIQUE: Étant un transporteur de potassium, cet acide joue un rôle très important dans l'influx nerveux.

TYROSINE: La tyrosine joue un rôle important dans l'élaboration de l'adrénaline par les glandes surrénales et de la mélanine. Cette dernière entre dans la pigmentation de la peau, des poils et de l'iris de l'œil. Une forte concentration de mélanine se retrouve chez les individus dont la peau, les cheveux et les yeux sont foncés. L'absence de mélanine se constate chez les albinos.

On comprend un peu plus l'importance des protéines dans un régime équilibré et sa carence peut se traduire par les symptômes suivants: diminution du métabolisme de base, retard de croissance, anémie, troubles hormonaux et enzymatiques, mauvaise cicatrisation des plaies, infections à répétition, etc.

Il serait plus important de tenir compte de la teneur en acides aminés de nos aliments que de leur teneur en protéines. En effet, la teneur en protéines d'un aliment ne nous renseigne pas sur la valeur des acides aminés qu'il contient. D'ailleurs, les protéines ne sont pas indispensables à notre organisme, mais plutôt les acides aminés qui les composent.

Il existe deux grandes familles de protéines: animales et végétales.

Les protéines animales

De source animale, les protéines sont complètes. Si on ne fait pas d'abus, les viandes de bonne qualité sont une précieuse source des huit acides aminés essentiels.

Q.19

L'inconvénient majeur d'un abus d'aliments carnés reste la forte teneur en purines. Les arthritiques, les goutteux et les rhumatisants auront avantage à se méfier de l'abus des viandes qui est sclérosant, acidifiant, constipant et surchargeant pour le foie et les reins.

SAVIEZ-VOUS QUE...

- La viande blanche (poulet, dinde) est plus riche en nucléoprotéine que la viande rouge et qu'au niveau structurel, la viande est composée de fibres musculaires, de graisses et de tissus conjonctifs. Elle doit être bien mastiquée pour bien ouvrir les enveloppes du tissu conjonctif facilitant ainsi la digestion des fibres musculaires par les sucs digestifs.

- Une viande rugueuse au toucher vient d'un animal âgé ou amaigri. Sa qualité est alors douteuse.

- Les charcuteries sont les plus indigestes. Elles sont riches en matières grasses et contiennent beaucoup d'additifs synthétiques (voir plus loin sous la rubrique « Viande de porc »).

Les viandes contiennent entre 15 et 25% de protéines, de 6 à 20% de lipides, des traces d'hydrates de carbone (sauf le foie et la viande de cheval, environ 2%), et environ 2 à 3% de substances stimulantes voisines de la caféine. Ce sont les leucomaïnes, les xanthènes, les créatinines, etc. L'abus de viande peut donc devenir trop stimulant pour notre organisme et l'épuiser à long terme.

Q.19

Le mode de cuisson

Le mode de cuisson de la viande peut améliorer sa digestion, ou bien la rendre plus difficile à digérer. La cuisson au four et les bouillis de légumes rendent la viande plus facilement digestible. Le grillage sur le feu lui permet de garder ses qualités nutritives, mais l'encroûtement qui se forme en surface la rend plus indigeste. La cuisson à la poêle (avec beurre) ou en friture est plutôt indigeste. Quant à la cuisson dans le four à micro-ondes, elle reste douteuse.

Les différentes viandes

BŒUF : C'est certainement la viande la plus mangée en Amérique. Sa couleur doit être rouge vif, sinon elle devient suspecte. Le bœuf renferme entre 20 et 24% de protéines et se digère relativement bien, mais il ne faut pas en abuser. Signalons qu'il n'est pas bien toléré par les goutteux, les arthritiques et ceux qui ont les reins faibles, de même que par les personnes souffrant d'hyperacidité stomacale.

CHEVAL : La viande chevaline est faible en matières grasses (environ 6%) et plus riche en sucre (glycogène) que le bœuf. Elle se digère facilement, c'est une viande énergisante. On la suggère fortement dans les cas de cholestérol élevé et de régime amaigrissant pour remplacer le bœuf et le porc.

VEAU : Ce dernier renferme environ 20% de protéines. Il est moins intoxiquant que le bœuf mais plus putrescible. L'élevage à grande échelle en fait souvent un animal anémié. Pour obtenir une viande blanche et tendre, on prive les veaux de lumière et d'exercices.

AGNEAU : C'est une des viandes les plus digestibles à condition d'avoir des coupes maigres et une cuisson simple. C'est une viande fortifiante. On la suggère souvent aux sportifs et aux athlètes, car elle est moins encrassante que le bœuf.

PORC : La viande de porc ne contient que 10% de substances protidiques et plus de 30% de matières grasses. Riche en purines, elle est à déconseiller aux hépatiques. Le porc doit être consommé bien cuit pour éviter les intoxications causées par le développement rapide des parasites et des bactéries. C'est la viande la plus putrescible. Voilà pourquoi il existe de nombreux tabous à son égard dans certains pays du Moyen-Orient. Par ailleurs, le jambon cuit dans l'eau est plus facile à digérer.

Les sous-produits du porc tels que les tripes, le lard et les charcuteries sont souvent fabriqués avec de la viande de deuxième qualité, souvent fumés et additionnés de sel, d'épices fortes et de nitrates. À déconseiller aux gens qui souffrent de troubles gastro-intestinaux, aux hépatiques, aux arthritiques, aux rhumatisants, aux goutteux ainsi qu'aux hypertendus.

LAPIN: C'est une viande très digestible et très peu grasse. Le lapin se compare facilement au poulet. Il est également faible en purines.

GIBIER: La viande de gibiers offre l'avantage d'être souvent moins grasse et moins intoxiquée que celle des animaux d'élevage. Plus protéinée, elle demande cependant un temps de digestion plus long.

POULET: Aussi riche en protéines que le veau, le poulet offre une viande maigre (sans la peau) et de digestion facile. Le blanc de poulet est la viande la plus recommandée pour un malade ou un convalescent.

DINDE: Cette viande est semblable à celle du poulet, mais plus grasse.

CANARD, OIE: Ces viandes très grasses et fort indigestes doivent être consommées très modérément.

PIGEON: Une viande de choix pour les malades, car elle est maigre (4% de matières grasses), facile à digérer et très tendre.

POISSONS: La valeur alimentaire des poissons est très variable. Bien que les poissons maigres soient préférables, il faut noter que les poissons gras sont riches en acides gras poly-insaturés. Ils sont recommandés dans un régime équilibré. De plus, ils peuvent être suggérés aux athéroscléreux. Ces viandes conviennent particulièrement aux arthritiques et aux goutteux. Les poissons sont riches en protéines (15 à 20%), en phosphore et en iode. Ils sont très putrescibles et doivent être consommés très frais.

Poissons à chair maigre: sole (0,5% m.g.), merlan, turbot, brochet, flétan, truite, carpe, etc.

Poissons à chair grasse: anguille (28% m.g.), sardine, thon, saumon, hareng, maquereau, etc.

FRUITS DE MER: Le terme «fruits» ne convient pas très bien à ces aliments. Ce sont des animaux vidangeurs qui vivent dans les fonds marins souvent pollués. De façon générale, ils sont des aliments toxiques (bases xanthiques) et ne doivent pas faire partie du menu quotidien. On doit les consommer très modérément, de saison et très frais (surtout les huîtres et les moules). Ils sont néanmoins des sources d'iode, de potassium, de phosphore et d'oligo-éléments. Les homards et les crevettes sont les moins gras et les plus riches en oligo-éléments.

ŒUFS: Eh oui, les œufs font partie des viandes! Qu'est-ce qu'un œuf, sinon un poulet en devenir? Le blanc d'œuf est formé d'ovalbumine presque à l'état pur. C'est ce qui donne au blanc sa richesse en protéines. Il est à noter que cette partie de l'œuf contient une substance appelée avidine qui neutralise certaines vitamines du groupe B et réduit de beaucoup l'activité du calcium dans le corps humain.

L'œuf cru n'est toléré que par des organismes robustes. Sa digestion est très laborieuse. Cuit sans corps gras, cet aliment est relativement facile à digérer; cuit avec du beurre ou de la margarine, il devient plus indigeste. À la coque, poché et cuit dur, l'œuf se digère relativement facilement.

Le jaune contient aussi des protéines, mais sa grande richesse réside dans les matières grasses comme les phospholipides, des matières grasses indispensables à l'activité cérébrale (concentration, mémoire) si l'on ne fait pas d'abus.

L'Oeuf est aussi une bonne source de fer, de phosphore et de vitamine A. C'est un aliment de choix, à condition d'être frais puisqu'il est riche en protides, en lipides, en vitamines et en minéraux. Il n'est pas conseillé, dans un régime équilibré, de manger plus de deux à trois œufs par semaine.

PRODUITS LAITIERS: Le lait de vache est l'aliment le mieux adapté aux veaux. Cela ne veut pas dire qu'il ne faut pas en consommer, mais il faut faire attention à l'abus de cette «viande liquide». Le lait, même humain, est une sorte de viande sous forme liquide, ce qui le rend assimilable plus rapidement par les nouveau-nés. C'est dire que le seul lait vraiment adapté aux bébés humains est le lait maternel. Ce dernier est en effet plus sucré, plus gras et plus facile à digérer que le lait de vache.

Une fois le sevrage passé, les jeunes et les adultes auraient intérêt à consommer plutôt des fromages et du yogourt parce qu'ils sont fermentés et donc plus faciles à digérer. En fait, ils subissent une prédigestion grâce à l'action des enzymes.

Le lait de vache arrive en tête des aliments allergènes ou pouvant causer des intolérances telles que otite, sinusite, bronchite, gaz, ballonnements, diarrhée, constipation, brûlements d'estomac, etc.

SAVIEZ-VOUS QUE...

- Le lait de vache est plus protéiné, contient trois fois plus de minéraux et est moins sucré que le lait maternel.
- Les globules de graisse du lait de vache sont émulsionnées moins finement que celles du lait de la femme.

YOGOURT: Le yogourt maigre est une excellente source de calcium, de protéines et de bactéries lactiques. Ces dernières régularisent la flore intestinale qui nous défend contre les infections.

KÉFIR: Le lait fermenté à l'aide de ce champignon est un stimulant des sécrétions gastriques. Il renferme environ 20% de matières grasses, 35% de protéines, 20% de lactose et 8% d'alcool. Très bénéfique chez certaines personnes, le kéfir peut néanmoins ne pas être toléré chez d'autres. On le suggère dans les cas de faiblesse digestive et de constipation.

FROMAGE: Les fromages sont d'excellentes sources de calcium et de protéines. Cependant, certains doivent être consommés de façon très modérée, car ils sont très riches en matières grasses. À moins de 8% de gras, un fromage est considéré comme maigre.

Voici la teneur en matières grasses de certains fromages.

Mozzarella	15 à 20%	Brie Allegro Anco	15%
Cottage	2%	Ricotta	10%
Cottage léger	1%	Fromage de chèvre	14%
Philadelphia léger de Kraft	16,5%		

Les protéines végétales

Les protéines végétales ne contiennent pas tous les acides aminés essentiels, contrairement aux protéines animales. Il faut donc les compléter en combinant deux sources différentes de protides: végétales, ou une végétale et une animale.

Légumineuses et céréales (exemple: fèves et couscous)

Céréales et noix (exemples: blé et amandes; avoine et noix)

Céréales et produits laitiers (exemples: céréales au blé et lait; céréales et yogourt)

Légumineuses et viandes (exemples: lentilles et bœuf; fèves et poulet)

La complémentarité des protéines n'est pas nouvelle. Plusieurs peuples mettent en pratique cette discipline simple dans leurs mets nationaux.

Moyen-Orient: Couscous et fèves

Mexique: Maïs et légumineuses

Japon: Riz et tofu (soya)

Inde: Riz et lentilles

Les protéines végétales ne remplacent pas complètement les protéines animales, et vice versa. Il est préférable d'avoir un régime alimentaire équilibré et varié en protéines.

Les meilleures sources de protéines végétales demeurent les légumineuses, les noix et les céréales entières (voir à ce sujet les chapitres 6, 7 et 8).

Les glucides

Élements nutritifs et énergétiques essentiels à l'organisme, les glucides se présentent sous deux formes: les sucres complexes et les sucres simples.

Les sucres complexes, ou hydrates de carbone, proviennent des produits céréaliers (céréales, farines, pains, pâtes), des légumineuses (haricots, lentilles, fèves, etc.) et de certains légumes riches en amidon comme la pomme de terre. Nos sucs digestifs les transforment en glucose pour qu'ils puissent être assimilés et utilisés par notre organisme.

Les sucres simples (sucrose, fructose, glucose) proviennent des fruits, des légumes, du miel, de la mélasse et du sirop d'érable.

Substance chimiquement pure, le sucre blanc est, quant à lui, un aliment dénaturé, vidé de tout élément nutritif (vitamines, minéraux) et riche en calories vides. De plus, il est dévitalisant et déminéralisant. En effet, la consommation de sucre blanchi entraîne la perte de vitamines du groupe B, du calcium, du magnésium, du phosphore, du cuivre et du chrome. Pourquoi avons-nous cette forte attirance vers le sucre? Parce qu'à peine six heures après notre naissance, l'attirance pour le sucre commence à se développer par le lait maternel, ce dernier étant particulièrement riche en lactose. Une association entre le fait d'être nourri et le goût sucré se forme alors, et durera toute notre vie. Donc, une saveur sucrée correspondra toujours à une sensation immédiate de plaisir.

Comme nous retrouvons des sucres complexes dans tous les légumes, les céréales et les légumineuses, nous ne nous attarderons pas sur ces derniers, sauf pour mentionner qu'ils sont les meilleurs sucres pour notre organisme. Leur assimilation se fait progressivement et n'alarme pas le pancréas. Nous les utilisons donc mieux et ils nous fournissent toute l'énergie dont nous avons besoin.

Voici les différentes formes de sucre que nous trouvons sur le marché ou dans les aliments préparés.

Saccharose: Provient de la canne et de la betterave à sucre. C'est le sucre blanc.

Glucose: Sucre simple présent dans les fruits, le miel, la mélasse, etc. Notre corps le fabrique au besoin à partir du glycogène.

Fructose: Sucre simple provenant principalement des fruits, mais aussi des légumes et du miel.

Lactose: Sucre du lait.

Dextrose: Sucre extrait du raisin.

Maltose: Sucre provenant du malt (orge).

Sucre blanc: Saccharose pure. Contient des traces de matières minérales.

Sucre brun foncé: Contient moins de saccharose, mais davantage de glucose et de fructose, ainsi que des minéraux et quelques vitamines du groupe B.

Sucre brun pâle: Même que le précédent, mais la teneur en vitamines et en minéraux est plus faible.

Depuis quelques années, des succédanés de sucre sont apparus. En fait, ce sont des sucres synthétiques. On ne sait pas grand-chose quant à leurs effets secondaires, mais ils sont susceptibles d'être cancérigènes. Certains sont même interdits d'utilisation.

La saccharine, l'asparthame et le cyclamate donnent un goût de 200 à 400 fois plus sucré que la saccharose. Les grandes multinationales de l'alimentation ne les utilisent que dans le seul but de réduire les coûts de revient et d'augmenter ainsi leur profit, malheureusement au détriment de la santé des consommateurs.

Miel: Le miel naturel, non pasteurisé, est un aliment très énergétique et prédigéré. Il renferme des vitamines, des enzymes et des minéraux en plus grandes quantités que les sucres bruns. Le miel offre aussi une action antiseptique.

Propriétés de quelques miels

Trèfle: Il est diurétique et dépuratif. Il procure aussi une action sédative.

Fleurs sauvages: Miel foncé très énergisant et stimulant. Il est aussi diurétique.

Eucalyptus: C'est l'ami des voies respiratoires. Il est aussi antiseptique et stomachique.

Sarrasin: C'est un des miels les plus tonifiants et des plus riches en minéraux.

Oranger: Il est digestif et calmant.

Tupélo: C'est le miel le moins sucré, au point que certains hypoglycémiques le tolèrent en petites quantités.

Bleuet: Moins sucré lui aussi, il est diurétique et adoucissant.

Mélasse: On trouve sur le marché deux sortes de mélasse: la mélasse douce et la mélasse forte (ou noire). Cette dernière est moins bonne au goût que la première, mais sa teneur en vitamines et en minéraux est supérieure. Elle constitue aussi une excellente source de fer.

La mélasse ne doit pas avoir été bouillie (ce qui permet de la stabiliser), car ce procédé détruit les enzymes et les vitamines qu'elle contient. De plus, elle est souvent sulfurée pour la conserver plus longtemps. Ce procédé demeure douteux.

Sirop d'érable: Le fait de chauffer l'eau d'érable jusqu'à l'obtention du sirop détruit les vitamines et les enzymes contenues au départ. Le sirop d'érable demeure cependant une bonne source de minéraux.

Les lipides

Les lipides se divisent en deux grandes catégories: les gras saturés et les gras insaturés. Les premiers sont majoritairement de source animale, comme le beurre et le saindoux. Les seconds sont en grande partie de source végétale (huile de tournesol, huile d'olive, etc.), mais proviennent aussi des poissons. Ce sont des acides gras liés à des alcools, par exemple le glycérol.

Les lipides sont une réserve énergétique de grande importance pour le corps humain. Ils servent aussi au transport des vitamines A, D, E et K, qui sont liposolubles. Certaines matières grasses sont indispensables au bon fonctionnement des cellules du cerveau et du système nerveux: ce sont les phospholipides que l'on retrouve en bonne quantité dans les huiles de première pression à froid. La lécithine en est une source formidable (voir à ce sujet le chapitre 11). Enfin, les lipides servent à la fabrication du cholestérol sanguin.

Ce qui fait la qualité des corps gras que nous consommons, c'est la teneur en acides gras essentiels. On les appelait autrefois vitamines F, mais ce ne sont pas réellement des vitamines. On les dit essentiels, car le corps ne peut les synthétiser.

Les acides gras essentiels sont indispensables au bon fonctionnement du système nerveux, de la peau, des muqueuses, des yeux, des glandes et du cerveau, ainsi qu'à la vie cellulaire.

Il y a environ une dizaine d'acides gras jugés essentiels à la vie humaine. Certains ont la possibilité d'être synthétisés par notre organisme, mais les plus importants ne peuvent l'être: il s'agit de *l'acide linoléique*, dont la déficience peut entraîner la mort, *l'acide linolénique* et *l'acide arachidonique*.

La carence en acides gras essentiels provoque les troubles de santé suivants: problèmes cardiovasculaires, troubles de la circulation, perturbation dans le développement normal du cerveau, problèmes de peau, cicatrisation lente, problèmes de fertilité, troubles inflammatoires (arthrite), assèchement des conduits lacrymaux, fonctions immunitaires affaiblies, etc.

Les meilleures sources demeurent les huiles de première pression à froid: lin, onagre, bourrache, tournesol, olive, soya, germe de blé, etc.

Il existe trois catégories de lipides: les gras **saturés** (généralement pour les sources animales, riches en cholestérol), les gras **polyinsaturés** et les gras **monoinsaturés**.

On retrouve sur les bouteilles d'huiles de première pression des renseignements sur leur teneur en gras polyinsaturé, saturé et monoinsaturé. Plus une huile est saturée, moins elle est bonne pour notre santé. La saturation rend l'huile encrassante et engorgeante. Insaturée (poly et mono), elle est nourrissante et assure la fabrication de bon cholestérol ainsi que l'élimination plus rapide du mauvais cholestérol. Plus la teneur en monoinsaturés est grande dans une huile, plus elle est drainante. C'est le cas de l'huile d'olive qui facilite la vidange de la vésicule biliaire.

Il existe plusieurs variétés d'huiles sur le marché, chacune ayant ses particularités. Certains commerçants changent le nom des huiles entrant dans la composition de leurs produits. C'est le cas de **l'huile de coco**, souvent appelée **coprah**. C'est la moins bonne des huiles, car elle présente une carence presque totale en acides gras essentiels. Elle est indigeste et génère des dépôts de cholestérol.

L'huile de palme, par sa composition, rappelle le saindoux. Elle ne vaut guère mieux que l'huile de coco. Elle est très engorgeante et génère des dépôts de matières grasses dans les artères.

L'huile de pépins de raisins constitue une excellente source d'acides gras essentiels et de vitamine E. Elle est particulièrement recommandée pour les personnes souffrant de troubles cardio-vasculaires. Cette huile augmente la production du bon cholestérol (HDL) et favorise la diminution du mauvais cholestérol (LDL) sanguin. De plus, elle résiste très bien à la chaleur.

L'huile d'olive est la plus facile à extraire à l'état naturel. Elle permet de drainer la vésicule biliaire et son usage régulier aide à prévenir la formation de calculs (pierres). De plus, elle est légèrement laxative. La mention *vierge* nous indique qu'elle est de première pression.

L'huile de carthame est celle qui renferme le plus d'acides gras insaturés. Pour combattre le cholestérol et ses dépôts sur les parois artérielles, c'est la meilleure.

Les huiles de tournesol et de soya sont également très bonnes. Comme pour les huiles d'olive et de carthame, elles font d'excellentes vinaigrettes pour les salades et les crudités.

Il est préférable de ne pas faire chauffer les huiles de première pression, car la chaleur les dégrade beaucoup. Cependant, si c'est le cas, il faut s'assurer que l'huile ne fume pas et ne noircisse pas.

Les margarines faites d'huiles végétales connaissent une popularité croissante. En fait, la margarine pose un problème plus sérieux que la matière grasse utilisée pour sa fabrication. En effet, pour obtenir d'une huile liquide un produit à l'état solide, il faut l'hydrogéner. Cela donne une apparence semblable à celle du beurre, mais c'est une matière grasse que la nature ne fabrique pas. Notre organisme doit donc composer avec une matière qui lui est inconnue.

Le beurre demeure en soi un aliment naturel. Non pasteurisé et sans addition de colorant, il est moins douteux que la margarine, mais il faut l'utiliser modérément car il contient beaucoup de corps gras saturés. C'est une source de vitamines A et D.

Il faut toujours se rappeler que les lipides demandent un temps de digestion assez long et qu'ils peuvent retarder celle des autres aliments. Ils sont la plus grande source de calories (9 calories par gramme), mais ils sont indispensables au bon fonctionnement de l'organisme entier.

3

Les vitamines

Un nombre incalculable d'ouvrages ont été écrits sur les vitamines. Certains sont très bien documentés, et d'autres voient surtout les vitamines comme des panacées pouvant tout guérir. Certes, les vitamines sont essentielles à la vie, mais elles ne constituent pas des médicaments miracles.

D'ailleurs, si vous désirez plus de renseignements sur les vitamines et les minéraux, je vous suggère fortement le livre du Dr Jacques Baugé-Prévost, N.D., *La santé par les produits de la ruche* paru aux Éditions Quebecor, où le sujet y est approfondi scientifiquement.

Soulignons la grande controverse qui existe encore entre les vitamines synthétiques et naturelles. Ces dernières présentent l'avantage d'être biologiquement plus actives et plus facilement utilisées par le corps humain. Les vitamines synthétiques ne sont pas des substances vivantes ; elles ne peuvent donc pas être considérées comme des nutriments. À titre d'exemple, la vitamine E est synthétisée à partir d'éther de pétrole. Un sous-produit du pétrole ne sera jamais un aliment pour l'organisme humain. Quant à sa forme naturelle, elle provient de l'huile de germe de blé ou de soya. À vous de juger...

Il est bon de souligner aussi qu'une vitamine isolée de son milieu naturel est toujours moins performante et est assimilée plus laborieusement.

Voici les principales vitamines, leurs sources ainsi que leur rôle sur le plan métabolique.

Vitamine A

Le complexe vitaminique A est bien représenté dans la nature. En effet, nous retrouvons, au niveau du règne végétal, une pro-vitamine A, le carotène, et dans le règne animal, la vitamine A elle-même.

Le carotène, pigment jaune que l'on trouve dans les fruits et les légumes de teinte jaune-orangée, est transformé par notre foie en vitamine A. Le nom de carotène vient de la carotte, où il y fut découvert.

Sous sa forme animale, il est appelé rétinol, du fait qu'il fut isolé pour la première fois dans la rétine de l'œil.

Sous sa forme végétale, le carotène possède la particularité d'être relativement non toxique. Par contre, sous sa forme animale, il peut le devenir dans les cas de surconsommation.

La vitamine A (végétale ou animale) est aussi appelée antixé-rophtalmique, car elle empêche la xérophtalmie, c'est-à-dire une diminution de la transparence de la cornée de l'œil.

Cette vitamine A est donc indispensable au bon fonctionnement visuel. Elle possède aussi les avantages suivants: aide à la crois-sance en général, fonction anti-infectieuse, bonne action au ni-veau de certains problèmes de peau (eczéma, peau sèche, etc.) et des muqueuses (bronches, sinus, etc.).

Les meilleures sources de vitamine A végétale sont la carotte, l'abricot, la patate douce, les légumes verts et jaunes, en général; de source animale: l'huile de foie de morue, l'huile de foie de flétan, le beurre et le lait.

C'est une vitamine liposoluble, donc présente dans les corps gras. Il faut aussi savoir qu'une trop forte cuisson la détruit.

Nos besoins quotidiens sont évalués à environ 5000 u.i. ou 1,5 à 4,5 m.g. Plusieurs expériences sont actuellement menées partout dans le monde entier au sujet du carorène et de ses fonctions anticancéreuses.

Vitamine B

La notion de «complexe vitaminique» fut découverte en même temps que la vitamine B. Il ne s'agit pas d'une vitamine, mais d'une famille de vitamines. Elles sont hydrosolubles, c'est-à-dire qu'elles se dissolvent dans l'eau.

L'activité de l'ensemble des vitamines du groupe B se situe d'abord au niveau du pôle tête. En effet, leurs actions se portent au cerveau et au système nerveux, au niveau de la peau et des organes des sens. Ces vitamines sont aussi responsables de la production d'énergie par le corps.

Voyons les principales vitamines du groupe B.

THIAMINE (vitamine B_1): On dit de cette vitamine qu'elle est un aliment du cerveau. Elle est bénéfique dans les cas de dépression, d'irritabilité, de perte de mémoire, de manque de concentration. Elle est aussi d'un grand secours dans les cas de fatigue nerveuse.

Les meilleures sources alimentaires de thiamine sont la levure de bière (15 mg/100 g), l'extrait de levure, le riz brun, le pain entier et les céréales entières.

Ce qui détruit la vitamine B_1: l'abus d'alcool, de café et d'antiacides, la levure chimique, etc.

RIBOFLAVINE (vitamine B_2): C'est un pigment de couleur jaune qui a été isolé du petit lait, d'où son ancien nom de lactoflavine. Sa principale fonction consiste à se combiner à des enzymes (c'est un cœnzyme) pour assurer la conversion en énergie des protides, des lipides et des glucides. Elle est utile dans la production de cellules tissulaires et à leur réparation. Elle joue un rôle de maintien au niveau des muqueuses.

Les principaux symptômes de carence sont les fissures aux commissures des lèvres, les ulcères buccaux, l'inflammation de la langue et des lèvres, la sensation de sable dans les yeux, la desquamation de la peau, la perte des cheveux, la fatigue, l'insomnie, etc.

Ses grands ennemis sont l'alcool, le tabac et les contraceptifs oraux; ses meilleures sources alimentaires: la levure de bière (4 à 5 mg/100 g), le foie (2 à 30 mg/100 g), le germe de blé.

Signalons aussi qu'elle est sensible à la chaleur et, comme les vitamines du groupe B, soluble dans l'eau.

NICOTINAMIDE (vitamine B_3): Connue également sous les noms de niacine, niacinamide, vitamine PP et acide nicotinique. La vitamine B_3 transporte de l'oxygène. Elle est indispensable à la respiration cellulaire. Cette vitamine d'énergie participe au métabolisme des glucides.

La B_3 fut aussi appelée antipellagreuse, car elle combat la pellagre, maladie caractérisée par la diarrhée, la dermatite et la démence.

La niacine est indispensable pour une bonne irrigation sanguine du cerveau, la centrale du système nerveux, d'où son importance.

Notre corps a la possibilité de fabriquer cette vitamine à partir des vitamines B_1, B_2, B_6 et du tryptophane (acide aminé).

Les meilleures sources de vitamine B_3 sont la levure de bière, le pain complet, le germe de blé, les noix.

PYRIDOXINE (vitamine B_6): La pyridoxine est souvent appelée vitamine antidépression grâce à son action bénéfique sur le système nerveux. En fait, son action se porte sur les neurotransmetteurs du cerveau. Elle permet à l'organisme de synthétiser du sucre à partir des protéines et des graisses de réserve. La B_6 est nécessaire pour le fonctionnement d'une soixantaine d'enzymes.

Les meilleures sources demeurent la levure, le germe de blé et le foie.

La lumière est son pire ennemi. Notons aussi que la cuisson, trop d'alcool, les contraceptifs oraux et certains médicaments peuvent nuire à son absorption.

CYANOCOBALAMINE (vitamine B_{12}): La vitamine B_{12} est bien connue pour son rôle bénéfique dans les cas d'anémie. Cette vitamine contient du cobalt, d'où son nom cyanocobalamine. Elle joue un rôle dans les échanges cellulaires, la synthèse de l'ADN et, bien sûr, dans le maintien de l'hémoglobine du sang.

Les meilleures sources demeurent la levure, le foie et les poissons gras.

La diarrhée, l'alcool, les grossesses multiples, le végétalisme et l'usage du tabac peuvent nuire à l'absorption de la vitamine B_{12}.

Autres vitamines du groupe B

ACIDE PANTOTHÉNIQUE (vitamine B_5): Participe à l'élaboration de l'acétylcholine (influx nerveux). Les phanères (ongles, cheveux) et les épithéliums sont stimulés par la B_5. Elle produit aussi de l'énergie.

Sources: levure, soya, foie.

BIOTINE (vitamine B_8): Active la synthèse des graisses au niveau du foie et protège aussi la peau.

Sources: foie et levure.

ACIDE FOLIQUE (vitamine B_9): Favorise la croissance et la gestation. Utile dans certaines formes d'anémie.

Sources: foie, levure, légumes verts.

ACIDE PARA-AMINO-BENZOÏQUE (vitamine B_{10}): Connue aussi sous le nom de paba, cette vitamine est un facteur anti-grisonnement des poils et des cheveux.

Sources: foie, mélasse, œufs, germe de blé et levure de bière. Cette dernière en contient jusqu'à 100 mg par kg.

On utilise le paba dans les écrans solaires. En usage interne, il s'avère très utile pour tous les problèmes de la peau, des ongles et des cheveux.

ACIDE PANGAMIQUE (vitamine B_{15}): Augmente la respiration cellulaire et diminue l'accumulation de l'acide lactique musculaire. Anti-fatigue.

Sources: levure de bière, foie, son de riz.

CHOLINE: Favorise le transport des graisses, empêche l'accumulation des graisses dans le foie et combat la cirrhose du foie.

La choline n'est pas universellement reconnue comme une vitamine, mais comme un facteur lipotropique.

Protecteur vasculaire dans l'athérosclérose, la choline est aussi un précurseur de l'acétylcholine, un neurotransmetteur qui détermine le comportement humain.

INOSITOL: Favorise l'assimilation des graisses et combat le cholestérol.

Sources: lécithine, levure, foie.

C'est aussi un facteur lipotropique.

Vitamine C

La vitamine C, ou acide ascorbique, est d'abord et avant tout un puissant anti-oxydant, c'est-à-dire qu'elle retarde l'oxydation trop rapide des cellules. Elle est essentielle à la majorité des échanges cellulaires, à la bonne utilisation des sucres (énergie), à la bonne santé des os et des dents. La vitamine C renforce notre système immunitaire, nous rendant ainsi plus résistant aux infections.

C'est probablement la vitamine la plus fragile. Parce qu'elle est soluble dans l'eau, on conseille de ne pas faire trop cuire les aliments qui en contiennent: persil, brocoli, poivron, citron, orange, etc.

Dans la famille vitaminique C, les *flavonoïdes (ou bioflavanoïdes)* sont moins bien connues, mais tout aussi essentielles à la bonne santé. Elles sont présentes dans les sources naturelles de vitamine C; en fait, elles l'accompagnent et la rendent plus assimilable par notre organisme. Les flavonoïdes jouent un rôle au niveau de la résistance des capillaires. Les gens qui ont des bleus facilement, qui saignent du nez, qui ont de petites veines éclatant facilement auraient avantage à consommer des aliments riches en flavonoïdes.

En plus des sources de vitamine C déjà mentionnées, citons le sarrasin, qui est une bonne source de rutines (famille des flavonoïdes) et l'acéola (cerise originaire d'Amérique du Sud).

Vitamine D ou calciférol

La vitamine D est indispensable à l'utilisation du calcium et du phosphore qui permettent à nos os et nos dents d'être en santé.

Ce travail se fait en harmonie avec les glandes thyroïde et para-thyroïde.

La vitamine D joue un rôle précieux comme précurseur d'hormones. Elle est présente sous forme de provitamines dans la peau, et l'ensoleillement la transforme en vitamine D.

Très rare dans le règne végétal, elle se trouve en abondance dans le règne animal, surtout dans les huiles de foie de flétan et de foie de morue.

Étant soluble dans les corps gras, la vitamine D peut s'accumuler facilement à haut dosage. Il est bon d'éviter d'en surconsommer.

Vitamine E ou tocophérol

La vitamine E est un puissant antioxydant. C'est un oxygénateur du système musculaire et du sang. Elle renforce le cœur et aide la circulation sanguine. Elle joue un rôle important dans la fécondité. De plus, elle aide à prévenir la formation de caillots sanguins.

Les meilleures sources de cette vitamine liposoluble sont: l'huile de germe de blé, les céréales entières, le germe de blé, les huiles de première pression (tournesol, soya, lin), le jaune d'œuf, etc.

L'alcoolisme, la diarrhée, l'utilisation de laxatifs (surtout l'huile minérale) sont des causes de déficience possible de cette vitamine.

De récentes recherches tendent à démontrer son action antioxydante bénéfique dans les cas de cancers.

Vitamine K

La lettre K employée pour désigner cette vitamine vient de *koagulation*, en danois. Elle favorise donc la coagulation normale du sang et combat aussi les hémorragies.

Notre flore intestinale est en mesure de la synthétiser. Elle se retrouve également dans les règnes végétal (K_1) et animal (K_2). Les sources végétales sont les plus actives.

Elle est présente dans tous les végétaux verts (surtout la luzerne, le persil, le chou), l'huile de soya, le beurre.

Vitamine U

Cette vitamine protège la muqueuse gastrique. Elle est utile dans les cas d'ulcères du tube digestif. La lettre U vient d'ailleurs du mot ulcère.

Les meilleures sources sont la luzerne, le chou, le persil et le céleri. Notons que la cuisson la détruit rapidement.

Un mot en terminant sur la mégavitaminothérapie. Cette méthode américaine, qui gagne de plus en plus d'adeptes chez nous, est très proche de la médication. Les grandes quantités de vitamines concentrées sont plus souvent des produits chimiquement purs que des substances alimentaires. Dans certains cas, la mégavitaminothérapie peut être utile, et doit se faire sous la supervision d'un thérapeute qualifié. Pour la prévention quotidienne, il est préférable d'utiliser les sources naturelles de vitamines.

Antivitamines

Pour terminer, et à titre indicatif, voici une courte liste des antivitamines, c'est-à-dire des substances qui contribuent à éliminer ou neutraliser les vitamines et les minéraux.

Alcool:	vitamines A, B et C
Chlore:	vitamine E
Caféine:	vitamines B et C, calcium, phosphore
Insecticides:	vitamines A, B, C et E, calcium
Agents de conservation:	vitamines A, C, B et E, bêta-carotène
Aspirine:	vitamines B et C
Antiacides:	vitamines A et B
Antibiotiques:	vitamines B et K
Antihistaminiques:	vitamine C

Corticostéroïde (cortisone):	vitamines A, B, C et D, calcium
Contraceptifs oraux:	vitamines B, C et E, calcium
Diurétiques:	vitamine B, potassium, sodium
Purgatifs:	vitamines B et K, l'ensemble des minéraux et des oligo-éléments présents dans le tube digestif

4

Les sels minéraux

Même si l'ensemble des sels minéraux ne représente que 4% du poids de notre corps, ils n'en demeurent pas moins nécessaires à notre santé.

Les minéraux n'apportent pas d'énergie à notre organisme, mais ils sont essentiels à la vie. Ils ont précédé la vie sur Terre et l'ont rendue possible.

Nous distinguons deux grandes familles de sels minéraux: les macro-éléments, c'est-à-dire les minéraux présents en grande quantité dans notre corps et dont les besoins sont plus importants, et les oligo-éléments, qui sont requis en très petite quantité, à l'état de trace.

Signalons également que les minéraux sont soit structurels, soit fonctionnels. Ils sont structurels lorsqu'ils font partie intégrante des cellules et des tissus. Par exemple, le calcium et le phosphore des os et des dents, ou encore le fer dans l'hémoglobine du sang. Ils sont fonctionnels parce qu'ils jouent un rôle de catalyseur   Q . 6 (enzyme). Leur seule présence assure une fonction (par exemple le magnésium dans la transmission de l'influx nerveux).

Les meilleures sources de minéraux demeurent les végétaux.

Calcium

C'est le plus abondant des minéraux présents dans notre corps. Il représente à lui seul la moitié du poids de l'ensemble des minéraux, soit environ 1 kg de notre poids total. Près de 99% de l'élément calcique se retrouve dans nos os et nos dents. Le reste est réparti entre le sang et l'ensemble du corps.

Le calcium est indispensable à la croissance et à l'équilibre acido-basique du corps humain. Il est également nécessaire à la coagulation normale du sang, au contrôle du rythme cardiaque, à la contraction et à la relaxation musculaire.

Les meilleures sources de calcium sont les produits laitiers, les céréales entières, les amandes, les légumes racines, etc.

Le calcium possède quelques ennemis: le cacao, le café, les levures chimiques, la cortisone, etc.

Phosphore

Environ 85% du phosphore présent dans le corps humain se retrouve dans les os et les dents. Tout comme le calcium, son métabolisme est assuré par la vitamine D. Le phosphore est indispensable à la bonne utilisation du calcium par l'organisme.

Il joue un rôle majeur dans la libération de l'énergie, car il absorbe de nombreux nutriments tels que les lipides et les hydrates de carbone.

Les meilleures sources de phosphore sont le lait, les fromages, la tomate, le bœuf et l'ensemble des aliments riches en protéines.

Magnésium

Le magnésium est un régulateur du système rythmique. Il est indispensable à la décontraction musculaire, ce qui en fait un ami du cœur, et à la libération de l'énergie. Il est également essentiel à la bonne transmission de l'influx nerveux.

La formation d'anticorps demande une bonne quantité de magnésium. Par contre, une carence de ce sel minéral peut conduire à la fatigue nerveuse et musculaire, à l'insomnie, aux crampes, à la nervosité, à la dépression, aux troubles du système immunitaire, etc.

Le magnésium joue aussi un rôle important dans la digestion. Il est utile aussi bien dans les cas de constipation que de diarrhée.

Les meilleures sources de magnésium sont les légumes verts, les céréales entières, les abricots, l'avoine, etc.

Potassium

Le corps humain contient entre 200 et 250 g de potassium, dont 90% se retrouve à l'intérieur des cellules. Le reste est réparti dans les tissus intercellulaires ainsi que dans le sang.

Le rôle majeur du potassium est d'assurer, de concert avec le sodium, les échanges métaboliques de nos cellules. Il s'agit littéralement d'une sorte de pompe sodium-potassium. Son action sur les liquides le rend hypotenseur. Il est lui aussi impliqué dans la libération de l'énergie.

Les crampes musculaires sont un symptôme de carence en potassium. Étant indispensable à l'activité musculaire, il est un bon ami du cœur. Mais son excès peut conduire à une carence en magnésium et en sodium.

Les plus grandes sources de potassium sont les bananes, l'avocat, les amandes, les fruits séchés, etc.

Fer

On retrouve principalement le fer dans l'hémoglobine du sang. C'est l'élément indispensable au transport de l'oxygène dans l'organisme et à l'activité d'une foule d'enzymes.

Le fer joue aussi un rôle dans la fabrication de l'élastine et du collagène, essentiels à la peau, aux muqueuses ainsi qu'aux tissus conjonctifs.

La carence en fer se traduit par de l'anémie, de la fatigue, de l'essoufflement et des troubles du métabolisme respiratoire.

Les meilleures sources de fer sont les épinards, le foie, les œufs, les légumes verts, le blé entier, etc.

Note: Le fer de source animale est plus assimilable que celui de source végétale, et la vitamine C augmente son absorption.

Zinc

La rétine de l'œil est particulièrement riche en zinc ainsi que le liquide prostatique et les spermatozoïdes.

Le zinc joue un rôle majeur dans le bon fonctionnement des globules blancs. Il est un agent régénérateur (cicatrisation) et contribue à la production hormonale.

La carence en zinc entraîne automatiquement une baisse des défenses de l'organisme ainsi que des troubles de la cicatrisation, du développement sexuel et de la croissance normale. Son excès peut cependant aboutir à une carence en cuivre.

Les aliments les plus riches en zinc sont les huîtres, les légumineuses, le poisson, les fruits et les légumes frais.

Soufre

Le soufre est présent dans toutes les cellules du corps humain. Cependant, sa concentration est plus grande dans les cartilages, les ongles, la peau et les cheveux. Il fait aussi partie de certains acides aminés ainsi que de certaines vitamines.

Les bonnes sources de soufre sont les aliments riches en protéines tels que le poulet, le poisson, les légumes verts, l'ail, l'oignon, le poireau, le radis noir.

Le soufre joue un rôle majeur dans les troubles de la peau comme l'acné et le psoriasis. Dans ces derniers cas, la cure de jus de radis noir est particulièrement efficace.

Sélénium

Bien que le sélénium, de par son rôle d'antioxydant, soit reconnu pour la lutte contre le cancer, son excès est cependant cancérigène. «Tout est poison, rien n'est poison», disait Paracelse.

On retrouve principalement le sélénium dans le foie, les glandes, le sang et les muscles. Il est un agent important, de concert avec la vitamine E, dans la lutte contre les radicaux libres. Il joue un rôle de stimulant dans la défense immunitaire.

Le sélénium protège le système cardiovasculaire, ralentit le vieillissement cellulaire et aide à combattre l'intoxication par les métaux lourds.

On le retrouve en bonne quantité dans les fruits de mer, les céréales entières, l'oignon, le thon et le chou.

Note: La vitamine C à forte dose diminuerait l'absorption du sélénium.

Iode

L'iode est bien connue pour son action sur la glande thyroïde. En fait, elle entre dans la composition des hormones produites par cette dernière, c'est-à-dire la thyroxine et la tri-iodo-thyroxine. Ces deux hormones agissent directement sur l'utilisation des aliments pour les transformer en énergie. Les systèmes nerveux, cardiovasculaire, pulmonaire et rénal sont également en grande partie sous leur contrôle.

La glande thyroïde contient environ 80% de tout l'iode du corps humain. L'insuffisance de cet oligo-élément entraîne le goître, une dépression physique et intellectuelle, de la frilosité (surtout des pieds et des mains) et un retard de croissance.

Les meilleures sources d'iode demeurent les fruits de mer, les algues de mer, les poissons, l'oignon, les radis et les haricots verts.

Cuivre

Le cuivre est indispensable au bon fonctionnement du système cardiovasculaire.

Il est également nécessaire à la fabrication de nouveaux globules rouges par la moelle des os. Il est aussi un anti-inflammatoire. Sa carence se rencontre dans presque tous les cas d'arthrite.

Les aliments les plus riches en cuivre sont le foie, les huîtres, les lentilles, la viande et les champignons.

Fluor

Le fluor se retrouve en grande partie dans les os et l'émail des dents. Il renforce l'ossature et l'émail des dents.

Bien qu'indispensable à la santé, son excès est toxique. On doit se méfier de la fluoration artificielle de l'eau potable.

Les aliments suivants sont de très bonnes sources de fluor organique : les céréales entières, les fruits frais, les légumes verts et les œufs.

Silice

La silice est l'élément minéral le plus répandu sur la terre. Chez l'être humain, on la retrouve principalement dans les os, les cartilages, les tendons et les vaisseaux sanguins.

La silice est essentielle à la croissance normale et à la régénération des tissus cartilagineux et osseux. Elle favorise l'absorption et l'utilisation du calcium et de l'ensemble des minéraux par l'organisme. Elle est donc reminéralisante et, à ce titre, on la suggère dans les cas d'arthrose et d'ostéoporose.

Les meilleures sources de silice végétale sont la prêle, les céréales entières, les fruits frais et les légumes verts.

Lithium

Le lithium agit sur les fonctions cérébrales, principalement sur les neurotransmetteurs contrôlant l'humeur. Il s'emploie dans le traitement des troubles maniacodépressifs.

Les besoins réels restent indéterminés et son excès apporte des tremblements, des troubles rénaux et un état de confusion.

Le lithium se retrouve dans les fruits de mer, les algues de mer, les légumes verts et les céréales entières.

Symptômes pouvant être reliés à des carences vitaminiques ou minérales

ANÉMIE : Vitamines C, B_{12}, fer, cuivre

BLESSURES QUI NE GUÉRISSENT PAS : Vitamine C, calcium, silice, zinc

BRÛLURES AU BOUT DES DOIGTS : Silice, vitamine B

BRÛLURES DE LA PLANTE DES PIEDS : Fer, soufre

CARIES DENTAIRES: Fluor organique, calcium, phosphore, vitamine A

CHEVEUX: Silice, soufre, vitamines A et B

CONFUSION MENTALE: Calcium, phosphore, magnésium, vitamine B

CRAMPES: Calcium, magnésium, potassium, vitamine E

DÉMANGEAISON AUX OREILLES: Silice, vitamines A et B

DÉMANGEAISONS PENDANT ET APRÈS LA TRANSPIRATION: Vitamines A et B, manganèse, potassium

DERMATITE: Soufre, vitamines A et B

DURCISSEMENT DE LA CIRE D'OREILLES: Phosphore, vitamines A, B, C et E, calcium, magnésium, potassium

ECCHYMOSES: Vitamine C, bioflavonoïde, silice

EXPECTORATIONS JAUNES: Magnésium

GENCIVES MOLLES: Vitamine C, silice

GOÎTRE: Iode

GOÛT DE GRAS DANS LA BOUCHE: Iode, manganèse, magnésium, vitamine B

IRRITABILITÉ: Vitamine B, calcium, magnésium

LÈVRES QUI FENDILLENT: Vitamine B

MANQUE D'APPÉTIT: Vitamine B, fer

MUCUS DANS LA GORGE: Chlore, magnésium et soufre

ONGLES: Silice, calcium, phosphore, soufre, vitamines A et B

PALPITATIONS: Calcium, magnésium, potassium, vitamines B, C et E

PEAU SÈCHE: Vitamines A et B

PERTE DU GOÛT: Zinc, vitamines A et B

PIEDS ET MAINS FROIDS: Iode

SAIGNEMENTS: Vitamine C, bioflavonoïde

SALIVE FÉTIDE: Soufre

SENSATION DE SABLE DANS LES YEUX: Potassium et vitamine B_2

STÉRILITÉ: Vitamines E, B_6, oligo-éléments

TRANSPIRATION HUILEUSE: Magnésium

TREMBLEMENTS: Calcium, magnésium, potassium, vitamine B

TROUBLES DE LA VUE: Vitamines A et B, zinc

TROUBLES MÉTABOLIQUES: Iode, vitamine B, calcium, magnésium

ULCÈRES BUCCAUX: Vitamines A et B, calcium, silice

YEUX EXORBITÉS: Fluor, potassium, vitamines A et B

5

Les fibres

Contrairement aux animaux ruminants tels que la vache, notre organisme n'est pas en mesure de digérer les fibres alimentaires. Ces dernières ne présentent donc aucune valeur nutritive; leur rôle est plutôt utile. En effet, les fibres jouent deux rôles essentiels dans le tube digestif: elles accroissent le poids et le volume des selles, ce qui, par conséquent, augmente le transit intestinal.

Les fibres absorbent l'eau, et ce, jusqu'à cinq fois leur poids. Elles combattent très efficacement la constipation, car elles jouent un rôle de «balai intestinal». L'élimination de l'excès de cholestérol et de certains sels biliaires est augmentée grâce aux fibres. Elles aident à l'évacuation de certaines substances pouvant être à l'origine du cancer du côlon. Une bonne source de fibres alimentaires favorise un milieu propice au développement de la flore intestinale.

À titre d'exemple, le son de blé peut accroître le transit intestinal d'environ 40%, le chou de 20%, la carotte de 18% et la pomme de 15%.

L'excès de fibres peut cependant créer certains problèmes tels que la constipation, la perte du fer, du calcium et du zinc présents dans le tube digestif, des gaz et des ballonnements.

La meilleure source de fibres brutes demeure le son de blé. Pour 100 g de son de blé, on trouve entre 10 et 15 g de fibres brutes.

Par exemple, les figues sèches en procurent 10 à 11 g, les légumineuses entre 3 à 6 g et le blé entier environ 2 g.

Il est conseillé de consommer entre 6 et 8 g de fibres brutes
quotidiennement. Cela correspond environ à 30 g de son de blé
(3 cuillerées à soupe combles) ou à 10 tranches de pain de son
(3 g par tranche). Le chou, la carotte, la pomme, les céréales
entières, les lentilles, les haricots et les amandes constituent de
très bonnes sources de fibres.

Il est important de distinguer les fibres insolubles (ex.: la cellulose) des fibres solubles (ex.: la pectine). Ces dernières, contrairement aux fibres insolubles, possèdent la faculté de se dissoudre
dans les liquides. Elles se présentent alors sous la forme d'une
gelée et bien qu'elles n'augmentent pas le volume des selles, elles
en favorisent grandement leur évacuation. Les meilleures sources de pectine sont les fruits frais comme la pomme, la poire,
l'abricot, la pêche, etc.

La cellulose produit des selles plus molles et plus abondantes, et
attire l'eau dans le côlon. Les meilleures sources de cellulose sont
le blé entier, les haricots, le chou, la carotte, le brocoli, etc.

L'hémicellulose régularise le cholestérol. Elle est en partie trans-
formée par les bactéries intestinales, fournissant ainsi une matière de base à l'organisme pour la fabrication de la vitamine K et
de certaines vitamines B. Les meilleures sources d'hémicellulose
sont les bananes, les aubergines, le maïs, les betteraves, etc.

La pectine, les gommes et les mucilages sont des fibres solubles
dans l'eau. On en retrouve principalement dans la pomme,
l'avoine, l'orge, les graines oléagineuses (lin, tournesol, etc.), les
légumes et les fruits en général.

6

Les fruits

Les fruits frais offrent l'avantage d'être à la fois des dépuratifs et des énergiseurs de l'organisme. La cure de fruits peut se pratiquer très facilement par l'ensemble de la population. Enfants, adultes et personnes âgées ont tous intérêt à profiter des nombreux bienfaits de cette cure. Certains diabétiques et intolérants aux crudités devront cependant s'abstenir d'entreprendre seuls une telle cure et sans la surveillance d'un naturothérapeute.

Les fruits frais ne surchargent pas le tube digestif, ce qui lui offre ainsi un repos qu'il n'a pas souvent. L'eau des fruits est la meilleure que l'on puisse trouver, car elle est biologiquement équilibrée par la nature elle-même. Les fruits fournissent l'énergie nécessaire pour accomplir notre travail quotidien. Cependant, il est bon de se reposer un peu plus, et ce, quelle que soit la cure que l'on entreprend.

Une ou deux journées par mois devraient être consacrées à cette cure pour faciliter les échanges métaboliques; cela n'empêche pas la consommation quotidienne de fruits.

Voici les principaux fruits que l'on retrouve sur le marché ainsi que leurs avantages nutritifs et curatifs.

Les fruits oléagineux

On appelle ainsi les fruits gras, ceux dont la teneur en lipides est élevée (environ 50 à 60%). Les protides comptent pour environ

15 à 20% et les glucides pour 10 à 20%, selon la variété. Ils fournissent environ 500 à 600 calories par 100 g. Il ne faut donc pas en abuser. Étant très riches en huile, les fruits oléagineux sont des aliments du système neurosensoriel. En effet, notre cerveau, notre système nerveux et notre peau ont un grand besoin d'acides gras essentiels, qui se trouvent dans les corps gras des fruits oléagineux. À noter qu'il est préférable de moudre ces fruits au fur et à mesure qu'on les utilise car, une fois moulus, ils ranciront très vite. Il faut toujours les garder au frais, ou mieux, au réfrigérateur.

Amande

L' amande, fruit de l'amandier, est appréciée depuis la nuit des temps. En effet, les Égyptiens, les Mésopotamiens, les Grecs, les Romains et les Gaulois, pour ne citer que ces peuples, l'employaient couramment. Riche en potassium et en phosphore, l'amande est aussi une source appréciable de calcium, de fer, de magnésium, de vitamines E et B. C'est un fruit énergétique et un aliment des nerfs. L'amande est appréciée des sportifs, car une petite quantité suffit à leur donner beaucoup d'énergie.

Arachide

L' arachide est aussi classée dans la catégorie des légumineuses (elle contient environ 50% de matières grasses). Elle est plutôt indigeste et, à plus forte raison, une fois rôtie et salée. Riche en protides, elle est cependant très pauvre en fibres. C'est un aliment très énergétique mais de digestion laborieuse. Attention, certaines personnes y sont allergiques! Parfois bénigne, l'allergie peut s'avérer mortelle. Quant au beurre d'arachide, sa qualité dépend de la fraîcheur des arachides utilisées pour sa fabrication. Attention aux beurres d'arachide commerciaux, additionnés de sucre, de sel et d'huile hydrogénée! Sa digestion est encore plus laborieuse.

Avocat

C'est un des fruits oléagineux parmi les moins calorifiques (161 cal/100g) et très facile à digérer. Il contient de 60 à 70% d'eau, est très riche en potassium (630 mg/100g), en magnésium (41 mg/100g) et en soufre (35 mg/100g). Il est riche en vitamines hydrosolubles B, B_2, C et PP, mais surtout en vitamines liposolubles A, D et E. L'avocat est très utilisé en cosmétologie. C'est principalement son huile qui est extraite et incorporée à des crèmes, des lotions et des laits démaquillants. Elle nourrit et hydrate la peau.

Cacao

L'extraction du beurre de cacao est effectuée dans des presses hydrauliques à l'aide de solvants dont l'utilisation est «tolérée» par la loi. Il faut savoir aussi que le produit final, le chocolat, contient de la caféine et de la théobromine. Le chocolat apporte environ 500 calories par 100 g, contient environ 65% de sucres, 22% de matières grasses et 6% de protides. Même de bonne qualité, le chocolat est un aliment très énergétique et gras. De plus, c'est un excitant et un générateur de déchets; à consommer très modérément. Il est contre-indiqué dans des régimes pour certains arthritiques, rhumatisants, migraineux, hépatiques et obèses.

Noix de cajou

Très riche en phosphore, en magnésium et en potassium, elle contient aussi du fer, du calcium, du zinc, des vitamines B et F. La noix de cajou est à conserver au frais, car elle rancit vite. Attention, sa digestion est laborieuse!

Noix de coco

Le fruit du cocotier est riche en minéraux (potassium, calcium, magnésium, fer, phosphore, etc.) mais pauvre en vitamines. À noter, le lait de coco contient une peroxydase (enzyme) analogue à celle de la salive. La noix de coco est presque indigeste, car son huile est très riche en gras saturés.

Noix

Fruit du noyer, la noix est le fruit dont la teneur en cuivre et en zinc est la plus élevée. Elle constitue aussi une bonne source de minéraux (calcium, magnésium, phosphore, fer, soufre, etc.) et de vitamines A, B, C et P. Ses matières grasses contiennent environ 86% d'acides gras non saturés (voir à ce sujet le chapitre sur les huiles). La noix est un bon vermifuge, un excellent laxatif doux et un antiparasitaire. Les végétariens auraient avantage à l'inclure dans leur régime, car elle est très nutritive. On recommande la noix dans certains cas de dermatoses. À noter que les feuilles du noyer ont des propriétés astringentes, tonifiantes, dépuratives et vermifuges.

SAVIEZ-VOUS QUE...

L'expression «noix de Grenoble» vient du fait qu'à un moment donné, les seules noix sur le marché venaient de la ville de Grenoble.

Olive

Originaire du Moyen-Orient, l'olivier peut devenir plusieurs fois centenaire. Symbole de paix et de sagesse, les Égyptiens, les Grecs et les Romains le vénéraient. Très riche en matières grasses, l'olive l'est aussi en calories. C'est une bonne source de potassium et de calcium. Riche en cellulose, elle possède donc une action laxative. Elle draine efficacement les voies hépatique et biliaire. L'olive verte n'est pas mûre tandis que l'olive noire est parvenue à sa pleine maturité, donc plus facile à digérer. La cure d'huile d'olive accompagnée de jus de citron frais reste un grand classique dans les nombreux traitements du foie. Elle est très efficace pour lutter contre les lithiases et les boues biliaires.

Aveline (noisette)

Fruit du noisetier, l'aveline est cultivée en Chine depuis plus de 5000 ans. Elle est très riche en minéraux (calcium, phosphore, magnésium, fer, potassium, chlore, soufre, etc.) et en vitamines A, B, E. Elle est, de tous les fruits oléagineux, celui qui contient le plus de matières azotées (protéines: de 15 à 16%) et le plus facile à digérer. Très nutritive, elle est aussi énergisante et vermifuge.

Caroube

Fruit du caroubier, la caroube remplace avantageusement le chocolat, car elle ne contient pas de théobromine comme ce dernier. De plus, la caroube est riche en calcium, en pectine (voir à ce sujet les fibres) et en sucres naturels. Elle contient aussi des vitamines A et B. La caroube est également beaucoup moins grasse que le chocolat; en effet, sa teneur se situe à 2% environ, contre 50% pour le chocolat. On la recommande dans les cas de diarrhée, car elle constipe légèrement. Il faut se méfier cependant des barres à la caroube du commerce qui, se voulant un substitut du chocolat, sont fabriquées avec de l'huile hydrogénée et sont très sucrées pour en améliorer la saveur.

Graines de sésame

Entières, les graines de sésame sont une des sources les plus élevées en calcium et sont riches en fer, en potassium, en vitamines B et E. De plus, elles sont une bonne source de mucilages (action laxative) et de lécithine.

Note: Mastiquez-les bien, car elles peuvent traverser intactes le tube digestif.

Graines de tournesol

Les peuples d'Amérique centrale utilisent les graines de tournesol depuis plus de 5000 ans. Extrêmement nutritives, elles sont riches en fer, en cuivre, en phosphore et en calcium. Du côté des vitamines, on retrouve les A, B, D et E. Elles constituent une bonne source de lécithine et de pectine.

Les fruits aqueux et sucrés

Les fruits aqueux contiennent en général 85% d'eau environ, des vitamines, des minéraux, des essences aromatiques et des acides organiques. Ces derniers, très présents dans les fruits verts, ont tendance à diminuer fortement lors du mûrissement du fruit.

Étant riches en eau et en sucres, et à assimilation plus rapide, ils constituent les aliments du système rythmique. Ils assurent le drainage du corps humain. En voici quelques-uns.

Abricot

Pour une bonne digestion, il vaut mieux consommer l'abricot très frais et très mûr. Il est riche en potassium, en phosphore, en calcium, en magnésium, en chlore, en soufre et en fer. Par sa richesse en électrolytes, l'abricot est l'aliment du système nerveux. Il est très recommandé aux intellectuels qui ont tendance à la sédentarité.

Ananas

L'ananas frais contient de la broméline, un enzyme qui active la digestion des protéines. C'est un véritable apéritif naturel. Sa teneur en sucres se situe à 22% environ et sa consommation doit être modérée en raison de son acidité. L'ananas n'est pas un fruit, mais plutôt une grappe de fruits. On le suggère dans les cas d'obésité et de digestion lente.

Cerise

Elle contient de 12 à 15% de sucres et est très riche en sels minéraux: potassium, calcium, manganèse, fer, cobalt, cuivre, soufre, etc. Elle est aussi une bonne source de provitamine A, de vitamines C et B. La cerise désintoxique et purifie le tube digestif. Elle possède des actions diurétiques et légèrement laxatives. Elle est de plus très reminéralisante et est fortement recommandée dans les cas d'hypertension, de troubles rénaux, de constipation et de carence en vitamine C.

Citron

Le citron renferme jusqu'à 90% d'eau. Il est très riche en citrate de chaux, de potasse et de soude. Il contient des acides maliques et citriques. C'est une bonne source de vitamine C et de bioflavonoïdes. Le citron est un purificateur des humeurs. C'est donc un important désintoxicant pour les tempéraments sanguin, lymphatique et bilieux. Ce fruit favorise les sécrétions hépato-pancréatiques, ce qui fait de lui un décongestionnant du foie et un régulateur du pancréas. De plus, l'essence du citron est très riche en terpènes (térébenthène), ce qui lui donne aussi des vertus expectorantes. Il est donc à conseiller dans les cas de bronchite et de grippe. Il est aussi bactéricide, antiscorbutique, rafraîchissant, activateur des globules blancs, tonique veineux, etc.

Note: Le jus de citron frais calme les piqûres d'insectes.

Prune

La prune est une bonne source de vitamines A (carotène) et C. Elle est aussi très riche en minéraux (fer, calcium, phosphore, potassium et magnésium) et une bonne source de mucilages. Ce fruit est un très bon stimulant du système nerveux et un énergisant. La prune possède un grand pouvoir désintoxicant et laxatif. Pour combattre efficacement la constipation, elle peut être consommée soit nature avant les repas, soit sous forme de pruneaux (ces derniers étant encore plus laxatifs), soit en jus le matin, au lever. Le jus possède l'action laxative la plus intense. Dans certains cas, il devient carrément purgatif.

Fraise

La fraise contient 5 à 8% de lévulose, sucre assimilable par les diabétiques. Elle constitue une bonne source de vitamine C et de potassium. Ce fruit est astringent, diurétique et dépuratif. L'extrait de fraise est très efficace en cas de diarrhée. Attention: Ce fruit n'est pas recommandé aux gens souffrant de dermatose; il peut provoquer chez ces derniers des réactions d'urticaire.

Note: La fraise contient de l'acide salicylique, ce qui lui donne une propriété analgésique.

Bleuet

Le bleuet est originaire d'Amérique du Nord et la myrtille, d'Europe. Les deux possèdent les mêmes propriétés. Ce petit fruit est riche en acide folique et en potassium. Il est astringent (utile dans les cas de diarrhée) et reminéralisant. Il est donc à suggérer aux arthritiques et aux déminéralisés. Le bleuet contient de la myrtilline (substance qui lui donne sa couleur), un puissant agent antiseptique. Les feuilles et la racine possèdent un pouvoir hypoglycémiant, et sont recommandées aux diabétiques.

Pêche

C'est un fruit doux et facile à digérer, car il est bien toléré par les estomacs fragiles. Étant riche en potassium, en calcium et en magnésium, la pêche est un tonique du sang et un aliment nervin de choix. Elle est également diurétique et légèrement laxative.

Poire

Généralement de digestion facile, la poire peut s'avérer indigeste pour certains estomacs qui ne la supportent pas. La poire contient 8% de sucres, de la pectine, des vitamines A, B et PP ainsi que les minéraux suivants: phosphore, calcium, potassium, sodium, magnésium, soufre, zinc, cuivre, fer, manganèse, iode, etc. Ce fruit possède des propriétés diurétiques, rafraîchissantes, reminéralisantes et dépuratives. De plus, ses sucs sont principalement constitués de lévulose, ce qui en fait un fruit permis aux diabétiques.

Pomme

Riche en électrolytes (calcium, magnésium, potassium, sodium), la pomme constitue un aliment du système nerveux. Sa pectine est une fibre soluble de première importance pour les intestins paresseux. De plus, comme les autres fibres alimentaires, la pectine combat l'excès de cholestérol. La pomme est un tonique (musculaire et nervin), un diurétique, un dépuratif, un digestif et un rajeunissant tissulaire (voir à ce sujet les livres du Dr Jean Valnet). On la recommande aux goutteux, aux arthritiques, aux sédentaires, aux obèses, aux hépatiques, etc.

Note: La pomme possède à la fois des vertus laxatives et constipantes. Elle peut libérer un intestin constipé, tout comme elle peut arrêter une diarrhée. La pomme, un fruit défendu? Jamais de la vie!

Raisin

Il existe environ 1500 variétés de raisins. C'est l'un des fruits les plus connus au monde. En général, le raisin contient de 80 à 85% d'eau, de 16 à 18% d'hydrates de carbone et moins de 1% de matières grasses. C'est un fruit à consommer très frais, car il ne mûrit plus une fois cueilli. Très riche en potassium (62%), le raisin est également une bonne source de phosphore, de silice, de calcium, de magnésium et de fer. Il constitue aussi une très bonne source de vitamines A (carotène), B et C. Le raisin contient des

facteurs vitaminiques P, appelés anthocyanosides, qui sont des protecteurs du système cardiovasculaire. La cure de raisins, plus connue en Europe qu'en Amérique, fait des merveilles dans les cas suivants: hémorroïdes, engorgement du foie et de la rate, constipation chronique, goutte, intoxications, arthrite, calculs biliaires, cataractes, pyorrhée, ulcères d'estomac, psoriasis, acné, anémie, cancers, etc. Cette pratique se rapproche beaucoup du jeûne pour ce qui est de la désintoxication qu'elle apporte au corps humain; donc, c'est une cure rajeunissante pour les cellules. Les personnes trop affaiblies pour entreprendre un vrai jeûne auraient avantage à faire une cure de raisins. Ici, comme pour le jeûne, cette cure ne doit pas être entreprise sans la surveillance d'un thérapeute compétent. Le raisin est énergétique, reminéralisant, désintoxicant, diurétique, tonique et revitalisant.

Orange

L' orange est originaire de Chine. Il en existe plus d'une centaine de variétés. Connue pour sa richesse en vitamine C (environ 50 à 100 mg par 100 g de jus), elle est aussi une bonne source de carotène et de vitamines du groupe B. On y trouve du calcium, du magnésium, du phosphore, du potassium, du fer, du cuivre, du zinc, etc. La fleur de l'oranger possède quant à elle des vertus calmantes. L'orange est antiscorbutique, tonique, apéritive et rafraîchissante. On la recommande dans les cas suivants: convalescence, fragilité des capillaires, gingivites, troubles cardiovasculaires, etc.

Note: Rappelez-vous que le jus d'orange doit être consommé très frais, car il se dégrade rapidement. Cela est valable pour tous les jus frais, d'ailleurs.

Tomate

La tomate est un fruit, bien qu'elle soit considérée comme un légume, provenant d'une plante originaire d'Amérique du Sud. Contenant environ 90% d'eau, la tomate est riche en glucides (4%), en acides organiques (citrique, malique, etc.), en minéraux (calcium, magnésium, potassium, cuivre, fer, zinc, etc.) ainsi qu'en vitamines A, B, C, PP, E et K. Les tomates vertes (non mûries) sont très acides et plutôt indigestes. Bien mûres, les tomates sont faciles à digérer si elles sont consommées crues. La cuisson prolongée détruit certains enzymes, ce qui la rend beaucoup plus acide. Par sa teneur en amylase, la tomate fraîche facilite la digestion des amidons et des pâtes alimentaires. Attention aux concentrés de tomates, qui sont extrêmement acides et acidifiants.

Pamplemousse

Son nom vient des mots néerlandais *pompel*, qui signifie gros, et *limœs*, qui veut dire citron. Ce «gros citron», fruit du pamplemoussier, est très voisin de l'orange. Sa richesse en vitamine C ainsi qu'en flavonoïdes en fait un excellent tonique du système rythmique. Le pamplemousse est un bon apéritif, un excellent dépuratif, et aide à la digestion. On le recommande dans les cas de fragilité des capillaires, d'obésité, de digestion lente, d'hémorragies, etc.

Les fruits amylacés

Les fruits amylacés sont une source importante d'amidon. Ce sont de bons aliments de soutien, car ils procurent des sucres à assimilation lente. Ils sont parfaits pour le travail d'endurance. Fournissant de l'énergie sur une longue période, ils sont reliés au système moto-génito-digestif, à titre de nourriture de l'activité musculaire.

Châtaigne

Elle renferme de 30 à 40% de sucres et de 4 à 5% de protéines. C'est un aliment très nutritif et économique. La châtaigne peut remplacer les céréales dans certaines recettes. Elle doit cependant être bien mastiquée pour en faciliter la digestion.

Banane

La banane est un aliment énergétique précieux. Elle contient environ 20 à 22% de sucres, 1 à 2% de protides et 5% d'eau.

Les troubles digestifs observés après avoir consommé des bananes semblent être reliés surtout à la fermentation des hydrates de carbone. La banane doit être bien mastiquée et mangée seule, ou encore 30 minutes avant un repas. À noter, le fait d'écraser une banane deux heures à l'avance entraîne une transformation de l'amidon en sucre; elle devient alors beaucoup plus facile à digérer. C'est un fruit riche en vitamines C, B et B_2 et en provitamine A. Elle contient une bonne teneur en fer, en magnésium et, surtout, en potassium.

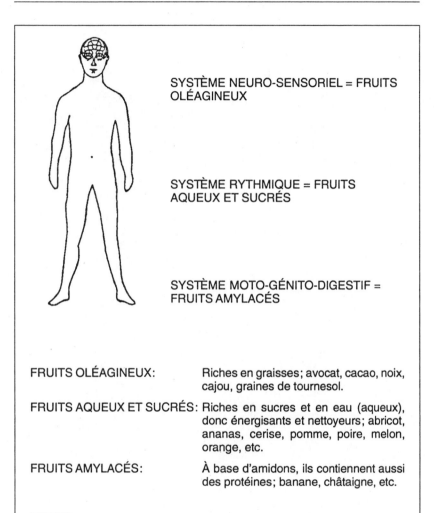

SYSTÈME NEURO-SENSORIEL = FRUITS OLÉAGINEUX

SYSTÈME RYTHMIQUE = FRUITS AQUEUX ET SUCRÉS

SYSTÈME MOTO-GÉNITO-DIGESTIF = FRUITS AMYLACÉS

FRUITS OLÉAGINEUX:	Riches en graisses; avocat, cacao, noix, cajou, graines de tournesol.
FRUITS AQUEUX ET SUCRÉS:	Riches en sucres et en eau (aqueux), donc énergisants et nettoyeurs; abricot, ananas, cerise, pomme, poire, melon, orange, etc.
FRUITS AMYLACÉS:	À base d'amidons, ils contiennent aussi des protéines; banane, châtaigne, etc.

NOTES:

- Manger un minimum de deux à trois portions de fruits par jour.
- Manger des fruits de saison autant que possible.
- Manger les fruits avant les repas (20 minutes environ) ou le matin, au déjeuner.
- Les fruits séchés sont une bonne source de vitamines A et B, de fer, de calcium et de fibres. La déshydratation concentre les sucres; il faut donc les consommer avec modération. Les faire tremper réduit leur teneur en sucre.

7

Les légumes, les légumineuses, les condiments et les aromates

Les légumes

On trouve encore ici une tripartition qui nous est offerte par la nature. Les racines plus richement minéralisées sont reliées à notre système neurosensoriel. Les légumes racines sont la carotte, le panet, le radis, etc.

On trouve aussi des légumes tiges et feuilles, par exemple le céleri. Il y a également le chou, la laitue, l'asperge, l'épinard, etc.

Nous mettons aussi dans cette catégorie les rhizomes et les tubercules qui, en fait, sont des tiges souterraines, par exemple la patate. Cette dernière est une réserve d'eau et de sucres hautement énergétiques. Les tiges, les feuilles, les rhizomes et les tubercules sont à mettre directement en rapport avec notre système rythmique.

Finalement, on trouve des légumes fleurs, fruits, semences tels que le brocoli, le chou-fleur, l'artichaut, etc. Ces derniers sont en rapport étroit avec le système moto-génito-digestif.

Artichaut

Ce légume ne fut découvert que vers le XVe siècle. Comme le cardon, l'artichaut a comme ancêtre direct le cardon sauvage.

Bien qu'il possède de grandes feuilles, ce ne sont pourtant pas ces dernières que l'on consomme, mais les bractées. Les principales propriétés de l'artichaut sont ses effets diurétiques et cholagogues. En fait, c'est un nettoyeur des voies urinaire et biliaire. C'est la *cynarine* qu'il contient qui favorise l'écoulement et l'augmentation des sécrétions biliaires. L'artichaut contient aussi une substance appelée inuline, voisine de l'insuline. Il est donc très recommandé pour les diabétiques.

De plus, il est riche en potassium, en magnésium, en sodium, en fer, en zinc et en manganèse. Du côté des vitamines, citons les vitamines A, B_1 et C. L'artichaut nettoie l'organisme. Il contribue aussi à purifier le sang et à fortifier le cœur. Il est très recommandé aux hépatiques, aux goutteux, aux arthritiques ainsi qu'aux gens sujets aux calculs biliaires et rénaux. Il est bon de savoir que certains hépatiques ne tolèrent pas toujours l'artichaut.

Asperge

L'asperge est riche en minéraux (manganèse, phosphore, fer, potassium, cuivre, etc.) et en vitamines A, B et C. Il draine le foie, les reins, l'intestin et la peau. C'est aussi un bon reminéralisant. Attention, les asperges sont riches en purines végétales; donc à consommer modérément par les arthritiques, les rhumatisants et les goutteux!

Betterave

La betterave est une bonne source de sucre (au moins 5%), de minéraux (potassium, magnésium, phosphore, silice, fer, cuivre, brome, zinc, manganèse, rubidium, etc.) et de vitamines A, B, C et PP. On recommande grandement la betterave aux anémiques et aux déminéralisés. Elle est très utile aussi aux personnes nerveuses pour sa richesse en potassium. C'est aussi un tonique du foie. Nous consommons la betterave presque toujours cuite. Elle perd alors une partie de ses éléments nutritifs. Il existe deux bonnes façons de la consommer crue: râpée en salade, ou en jus fait à l'extracteur (voir à ce sujet le chapitre sur les jus).

Carotte

Ce légume racine renferme de 8 à 10% de sucres qui seraient assimilables par les diabétiques, s'ils n'en abusent pas. Sa richesse

en provitamine A (carotène) est recommandée aux gens qui ont des troubles visuels, des muqueuses et de la peau. Le docteur Jean Valnet lui donne d'ailleurs le titre de « rajeunissant tissulaire et cutané ». La carotte est aussi une très bonne source de minéraux (fer, calcium, magnésium, phosphore, potassium, sodium, soufre, cuivre, etc.). Sa richesse en fer (de 4 à 8%) fait d'elle un aliment antianémique.

C'est aussi l'amie de nos intestins. En effet, la carotte est à la fois antidiarrhéique et laxative. Elle s'oppose aux putréfactions intestinales. Enfin, elle est aussi un cicatrisant du tube digestif.

On recommande la carotte dans les cas suivants: asthénie, anémie, diarrhée, constipation, insuffisance hépato-biliaire, ulcères du tube digestif, hémorragie gastro-intestinale, troubles de la croissance, déminéralisation, dermatose, rhumatisme, goutte, vieillissement prématuré, etc.

Céleri

Le céleri est un puissant draineur des voies urinaires et un stimulant des glandes endocrines (surtout des surrénales). Il constitue aussi un très bon apéritif et un bon draineur du système rythmique.

Sa richesse en minéraux (potassium, calcium, manganèse, fer, cuivre, sodium, iode, etc.) en fait un excellent reminéralisant.

L'usage du céleri comme aliment-remède est très varié. En effet, on le recommande dans les cas suivants: déminéralisation, anémie, rhumatisme, goutte, arthrite, lithiase urinaire, obésité, insuffisance des glandes surrénales, asthénie, surmenage, manque d'appétit, etc.

Chou

Ce légume est cultivé en Europe depuis plus de 4000 ans. Il existe plusieurs variétés de choux: vert, rouge, chou-fleur, de Bruxelles, etc. Le chou vert reste celui à qui on a attribué le plus de propriétés médicinales. Néanmoins, ils sont tous riches en minéraux, en sucres (de 6 à 10%) et en matières azotées.

Il est bon de savoir qu'ils ne sont pas toujours bien tolérés et qu'il existe des allergies.

Le chou est d'abord et avant tout un puissant cicatrisant. Il fait des miracles en cas d'ulcères gastro-duodénaux. Il cicatrise des plaies, en général. On utilise alors les feuilles en cataplasme. Autant en usage interne qu'externe, il fait des merveilles.

Il est utile dans les cas suivants: furoncles, acné, abcès, anémie, arthrite, rhumatisme, goutte, brûlures, ulcères, céphalée, conjonctivite, contusions, déminéralisation, hémorroïdes, varices, névralgie, migraine, masques de beauté, troubles des yeux, zona, etc.

Concombre

C'est un des aliments qui dissout et élimine le plus l'acide urique; il est donc diurétique et dépuratif.

Le concombre est riche en vitamines A, B et C, en manganèse et en soufre. C'est justement le soufre qu'il contient qui le rend efficace pour lutter contre les troubles de la peau. Qui ne connaît pas les masques, les lotions et les crèmes vendus sur le marché renfermant du concombre comme élément astringent.

Soulignons aussi que le concombre est un fruit riche en érepsine, un enzyme qui favorise la digestion des matières protidiques.

Épinard

Reconnu pour sa richesse en fer, l'épinard est une grande source de minéraux (sodium, phosphore, potassium, calcium, magnésium, cuivre, zinc, etc.) et de vitamines B et C. Il est également une bonne source de chlorophylle et de mucilages.

On le recommande dans les cas d'anémie, de convalescence et de rachitisme.

L'épinard ne convient pas aux rhumatisants, aux arthritiques et aux goutteux, car il est riche en purines végétales (oxalates). Ainsi, pour 100 g, il contient 700 mg d'acide urique.

Il est préférable de consommer les épinards crus, car ils sont plus faciles à digérer et leur concentration en purines plus grande une fois cuits.

Laitue

Il existe plusieurs variétés de laitues (Boston, romaine, etc.) qui ont à peu près toutes les mêmes valeurs nutritives. Signalons que plus elles sont vertes, plus elles sont riches en chlorophylle.

La laitue contient des vitamines A, B et C, des minéraux (calcium, phosphore, iode, manganèse, zinc, fer, cuivre, potassium, cobalt, chlore, etc.) ainsi qu'une substance appelée lactucérine qui lui confère une action analgésique et sédative.

La laitue est donc indiquée dans les cas suivants: nervosité, insomnie, spasmes nerveux, palpitations, déminéralisation, goutte, arthrite et rhumatisme.

Navet

Ce légume racine, riche en minéraux (calcium, phosphore, magnésium, soufre, potassium, iode, etc.), en vitamines A, B et C et en sucres (de 5 à 8%) est très souvent négligé. C'est pourtant un très bon revitalisant et un aliment remarquable du système neurosensoriel.

Il est à recommander dans les cas suivants: déminéralisation, nervosité, insomnie, eczéma, acné, psoriasis, arthrite.

Les feuilles du navet se consomment en salade. Elles sont riches en fer, en cuivre et en chlorophylle. Le navet se mange très bien cru, râpé en salade.

Pissenlit

Eh oui, cette mauvaise herbe se consomme! Bien que trop souvent méprisé, le pissenlit est un des meilleurs draineurs du foie et des reins.

Cette plante est très riche en vitamines A, B et C, en minéraux (potassium, fer, magnésium, silice, soufre, manganèse, etc.) et en chlorophylle. Elle contient aussi une substance appelée inuline qui convient bien aux diabétiques.

Les feuilles de pissenlit font d'excellentes salades. Elles sont à consommer jeunes, car plus la plante grandit, plus elle devient amère.

Les racines font merveille dans les cas d'eczéma, de psoriasis, d'urticaire, d'acné, d'arthrite et de rhumatisme.

Le pissenlit est un dépuratif du sang, un diurétique puissant (son nom nous en dit quelque chose: «pisse-en-lit») et un draineur de la vésicule biliaire.

Il n'est pas nécessaire d'attendre de les manger par la racine pour y goûter!

Radis

Il existe principalement deux sortes de radis: le radis rose (*raphanus sativus*) et le radis noir (*raphanus niger*).

Le radis noir contient des vitamines B et C, de nombreux sels minéraux (magnésium, potassium, calcium, fer, etc.) et une essence sulfurée appelée raphanol.

La principale propriété du radis noir consiste à provoquer la vidange de la vésicule biliaire. Il est donc cholécystokinétique. C'est aussi un très bon diurétique et un des plus puissants anti-scorbutiques, grâce à sa richesse en vitamine C.

On le recommande dans les cas de lithiase biliaire, d'insuffisance hépatique et rénale, de bronchite chronique, de rhumatisme, d'arthrite, de goutte, d'eczéma, de psoriasis, d'intoxication, etc.

Le radis rose, quant à lui, possède à peu près les mêmes fonctions, mais à des degrés moindres.

Notez que les feuilles de radis font d'excellentes salades. De plus, elles aident la digestibilité du radis lui-même.

Rhubarbe

La rhubarbe est utilisée en médecine naturelle, principalement comme laxatif. Elle est riche en fer, en magnésium, en vitamines A, B et C, mais aussi en acide oxalique. Cette dernière substance se retrouve surtout dans les feuilles; il est bon de ne pas les consommer, car elles peuvent provoquer des empoisonnements sérieux.

Étant un légume très acide, il ne faut pas en abuser.

Pomme de terre

Originaire d'Amérique du Sud, cette tubercule s'est taillé une place de choix dans l'alimentation des peuples européens et américains.

Riche en hydrates de carbone (de 20 à 22%), la pomme de terre est également une très bonne source de potassium. Sa richesse en minéraux est directement reliée à la qualité du sol où elle est cultivée. De plus, la pomme de terre contient des vitamines du groupe B, (B_1, B_6, acide pantothénique, acide folique).

Saine, nourrissante et très facile à digérer (sauf la frite), la pomme de terre constitue un aliment énergétique, anti-ulcéreux et cicatrisant.

Notez que le jus de la pomme de terre crue est indiqué dans les cas d'ulcères d'estomac et de diabète.

Poireau

Le poireau fait partie de la même famille que l'ail et l'oignon. Il possède à peu près les mêmes propriétés que ceux-ci. Il est particulièrement riche en vitamine C, en fer, en silice, en soufre et en cellulose.

C'est un tonique nervin, un diurétique, un antiseptique intestinal et un bon laxatif. On le recommande dans les cas suivants: constipation, rétention d'eau, anémie, goutte, lithiase urinaire, insuffisance rénale et artériosclérose.

Note: On le digère plus facilement que l'ail et l'oignon.

Oignon

L'oignon est connu et apprécié depuis l'Antiquité pour ses vertus anti-infectieuses et tonifiantes. Riche en vitamines A, B et C, il renferme aussi du potassium, du phosphore, du fer, de l'iode, de la silice et du soufre.

Contenant des principes antibiotiques, il est fortement suggéré aux personnes souffrant de rhume, de grippe et d'infection à répétition. C'est un très bon stimulant du système nerveux et un diurétique puissant. Il favorise l'équilibre glandulaire et possède des vertus hypoglycémiantes.

L'oignon est un excellent expectorant. Il favorise aussi les sécrétions; rappelons-nous les larmes qu'il nous fait verser lorsqu'on l'épluche. Enfin, pour ses nombreuses qualités, on le qualifie souvent d'«aliment de vie».

Champignon

Il existe environ 180 000 espèces connues de champignons. Certains sont délicieux et d'autres, poison. Dans l'ensemble, les champignons peuvent contenir jusqu'à 30% de protéines; c'est pourquoi on les qualifie souvent de «viande végétale».

Vu la très grande diversité des champignons, nous ne verrons ici que le champignon de couche appelé communément champignon de Paris. Ce dernier est particulièrement riche en zinc, en fer, en phosphore, en chlore, en potassium, en magnésium, en cuivre, en glucides et, bien sûr, en protides. Il est également une bonne source de vitamines du groupe B (niacine).

Reminéralisant de première importance, il n'est cependant pas toujours bien toléré chez les rhumatisants et les goutteux étant donné sa forte teneur en matière azotée.

Le champignon de Paris est fortement suggéré aux végétariens pour sa richesse protidique. On le recommande aux anémiques et aux gens fatigués, car c'est un bon stimulant physique et cérébral.

Les légumineuses

On désigne du nom de légumineuse une plante dont le fruit est une gousse. Les légumineuses sont un peu comme des intermédiaires entre les légumes et les céréales, des concentrés alimentaires extrêmement nutritifs.

En général, les légumineuses contiennent entre 20 et 30% de protéines. Bonnes sources d'énergie, elles renferment jusqu'à 65% de glucides, principalement sous la forme d'amidon. Leurs matières grasses sont en majorité des gras polyinsaturés.

Elles sont riches en phosphore, en calcium, en fer, en manganèse, en cuivre, en thiamine, en riboflavine et en niacine. Germées, elles sont riches en vitamine C et en enzymes.

Les légumineuses constituent un très bon substitut à la viande, à condition de respecter la complémentarité des protéines.

Notez que l'abus ou de mauvaises combinaisons alimentaires favorisent la fermentation intestinale des légumineuses (gaz, ballonnements, flatulences).

Les légumineuses sont également une excellente source de fibres. On y trouve principalement de la cellulose, qui aide à combattre la constipation.

Il est bon de leur associer certains légumes riches en vitamine C (poivron, brocoli, tomate) afin de favoriser l'absorption du fer et du calcium qu'elles contiennent.

On connaît plusieurs variétés de fèves, de pois et de lentilles qui font toutes partie de la grande famille des légumineuses. En voici quelques-unes.

Fèves de Lima

Il en existe deux variétés: les géantes et les bébés. Elles sont riches en minéraux, donc alcalinisantes. De digestion facile, elles se consomment dans les soupes, les plats mijotés, les salades et les purées.

Fèves rognons rouges

Cette fève a la forme et la couleur d'un rein, d'où le nom de rognon. On les utilise dans les soupes, le chili, les pâtés, les salades et les croquettes.

Aduki

C'est une petite fève rouge rayée de blanc qui se consomme germée ou cuite. L'aduki est savoureuse, facile à digérer, et possède une action diurétique.

Fève soya (soja)

Cette fève est très utilisée sous les formes les plus diverses. Elle contient 35% de protéines, de lécithine, des vitamines du groupe B (une fois germée on retrouve les vitamines A, B, C et E), du fer, du phosphore, du calcium et du potassium.

La fève soya sert à fabriquer le tofu, l'huile de soya, le tamari, le miso, le tempeh, le lait de soya, la farine de soya, le beurre de soya ainsi que la lécithine.

Attention, il existe des allergies au soya!

Lentilles

On en connaît des vertes, des brunes et des rouges. Elles sont extrêmement riches en fer. Les lentilles sont très faciles à digérer. Elles conviennent bien aux femmes qui allaitent, car elles favorisent la production de lait (galactogènes). Elles se consomment cuites (soupes, pâtés, salades) ou germées (salades).

Pois

Comme il existe plus de mille variétés de pois, nous nous arrêterons aux sortes les plus connues. Le pois chiche est le plus riche en minéraux (phosphore, potassium) de cette catégorie de légumineuses. Les pois jaunes sont riches en carotène et les verts, en chlorophylle.

Quelle que soit leur couleur, les pois sont des aliments très énergétiques. En effet, ils peuvent contenir jusqu'à 60% d'hydrates de carbone. Attention, l'excès de pois favorise les fermentations intestinales!

Haricot

On connaît les haricots verts, riches en chlorophylle, et les haricots jaunes, riches en carotène. Les deux renferment de bonnes sources d'acide folique, de vitamine C, de la silice, du calcium et du phosphore. Ils sont aussi une source d'oligo-éléments précieux (nickel, cobalt, cuivre).

Les haricots sont dépuratifs et diurétiques. Leurs fibres servent souvent de balai intestinal. On les suggère aux constipés, aux rhumatisants et aux goutteux. De plus, ils sont d'un grand secours dans les cas d'obésité et de diabète.

Les condiments et les aromates

On retrouve principalement sur le marché trois sortes de condiments et d'aromates:

- de source végétale (ail, basilic, thym, etc.);

- de source minérale (sel);

- obtenus par fermentation (vinaigre).

Source végétale

Ail

L'ail est connu depuis la Haute Antiquité. En effet, les fouilles archéologiques en Égypte ont permis d'établir qu'à l'époque où l'on construisait les pyramides, les travailleurs étaient nourris de légumes, de céréales, d'huile et d'ail. L'ail servait à enrayer les épidémies qui auraient pu se déclarer sur ces immenses chantiers où, dit-on, jusqu'à 100 000 ouvriers travaillèrent durant plusieurs années.

L'odeur caractéristique de l'ail est due à son essence constituée de sulfure et d'oxyde d'allyle. Il contient aussi deux substances à action antibiotique: l'alliciline et la garlicine.

L'ail est un puissant antiseptique intestinal et pulmonaire. Il combat très bien toutes les formes d'affections reliées aux intestins et aux voies respiratoires. Attention, son abus peut entraîner des troubles digestifs graves, car l'ail peut être irritant chez certaines personnes !

La science moderne nous confirme ce que, empiriquement, nous savions depuis toujours sur l'ail. En effet, les chercheurs qui se sont penchés sur cette plante nous rapportent qu'elle est stimulante, tonique du cœur, hypotenseur, vermifuge et bactéricide.

L'ail peut donc être utilisé avantageusement dans les cas d'infections, de bronchite, de tuberculose, de rhume, de grippe, de parasites intestinaux (vers), d'hypertension artérielle, etc.

Les femmes qui allaitent devraient y porter attention, car il donne des coliques aux bébés.

Anis

L'anis est un des meilleurs stimulants digestif, cardiaque et respiratoire. À trop forte dose, il ralentit la circulation et provoque une congestion cérébrale.

Il est utilisé dans les cas de migraines digestives, de gaz, de flatulences, de digestions nerveuses, ainsi que chez la femme qui allaite pour augmenter la production lactée. Il combat aussi les coliques chez les bébés.

La semence d'anis est très utilisée en pâtisserie, dans les pâtes dentifrices et dans les boissons alcoolisées (pastis, ouzo, etc.).

Angélique

L'angélique est un stimulant des voies digestives. Elle s'utilise dans les cas d'aérophagie et de troubles de spasmes de l'estomac. Elle est aussi fort utile dans les cas de ménopause et de règles douleureuses.

Basilic

Le basilic est reconnu comme un antispasmodique du tube digestif et un tonique général. Il fait merveille dans les cas de spasmes gastriques, de migraine et de goutte.

Il parfume agréablement les soupes, les salades, les crudités, et plus particulièrement les tomates.

Cannelle

Étant une écorce (partie tige de la plante), la cannelle constitue un très bon stimulant du système rythmique. La circulation sanguine, le rythme cardiaque et la respiration sont activés par celle-ci.

De plus, la cannelle possède aussi des fonctions antiseptique, vermifuge et antispasmodique. On la dit aussi aphrodisiaque.

Câpre

Le câprier, petit arbrisseau grimpant, nous offre son bouton floral à déguster. Cependant, les câpres n'ont leur saveur caractéristique que lorsqu'elles sont marinées dans du vinaigre et du sel.

La câpre possède des vertus antiputride et tonique pour le tube digestif.

Elle assaisonne bien les mayonnaises, les hors-d'œuvre, les pizzas, le riz, les salades, les sauces, les viandes, les poissons et les volailles.

Carvi

Le carvi combat efficacement les gaz et les flatulences. Il est bien indiqué dans les cas d'aérophagie, de spasmes gastriques et de dyspepsie nerveuse.

De plus, le carvi augmente la production de lait chez les femmes qui allaitent.

Clou de girofle

Le clou de girofle stimule l'estomac mais, à trop forte dose, il peut l'irriter. Il possède aussi des vertus antiseptique, énergétique, antispasmodique et vermifuge.

SAVIEZ-VOUS QUE...

Le clou de girofle fait des merveilles dans les cas de névralgies dentaires. Vous n'avez qu'à déposer simplement un clou de girofle sur la dent douloureuse. Attention, cela ne remplace pas la visite chez le dentiste!

Coriandre

Son goût est à la fois un peu sucré et âcre. Elle s'utilise très bien dans les conserves de cornichons. Elle parfume également les plats de pâtes alimentaires.

Ses propriétés sont semblables à celles du carvi et de l'anis. La coriandre est stomachique et antispasmodique ainsi qu'un stimulant physique et intellectuel.

Cumin

Le cumin possède les mêmes propriétés que le carvi.

Estragon

Très riche en essences aromatiques, l'estragon est largement utilisé dans les salades, les crudités et les plats cuisinés. Il possède des vertus antiseptique et antiputride. Il est à la fois un stimulant et un antispasmodique.

Fenouil

Le fenouil possède à peu près les mêmes propriétés que l'anis, mais il est de plus diurétique.

Gingembre

Ce rhizome desséché est utilisé dans la préparation de certains vins mousseux, de certaines liqueurs (la Bénédictine), de certains sirops et de la fameuse boisson gazeuse Ginger Ale.

Le gingembre est un bon stimulant digestif. Il est employé pour combattre les rhumes, la toux, les douleurs arthritiques et rhumatismales, ainsi que la diarrhée. À forte dose, il peut être irritant pour le tube digestif.

Le gingembre possède la faculté de réduire, voire d'arrêter, le mal des transports (bateau, avion).

Laurier

Le laurier était autrefois consacré à Apollon, dieu grec de la lumière, des arts et de la divination. Il est aussi un symbole d'immortalité, car la plante demeure verte même en hiver. Les anciens Romains en firent même l'emblème de la gloire.

Le laurier est un très bon stimulant en général. On le dit aussi diurétique, expectorant, antispasmodique et antirhumatismal.

Les feuilles du laurier aromatisent très bien les sauces (à spaghetti), les légumineuses, les soupes et les ragoûts. Attention, à très forte dose, il peut devenir toxique!

Moutarde

Il existe plusieurs préparations à la moutarde sur le marché. En général, la poudre de moutarde est mélangée à du vinaigre ou à du moût de vin. On y ajoute aussi des fines herbes (ail, estragon) ou du piment.

La moutarde possède les propriétés suivantes: apéritive, digestive, antiseptique. Attention, à forte dose, elle devient irritante et vomitive. Il est donc sage de l'utiliser modérément.

SAVIEZ-VOUS QUE...

La moutarde fait partie de la famille des choux. Qui ne connaît pas l'efficacité des cataplasmes à la moutarde pour dégager les voies respiratoires?

Noix de muscade

Fruit du muscadier, la noix de muscade doit être utilisée à petite dose, car en abuser donne des signes d'empoisonnement comparables à ceux obtenus par l'abus d'alcool (délire, hallucination, perte de connaissance).

Elle est cependant indiquée dans les cas de diarrhées chroniques, d'haleine fétide et de digestions laborieuses.

Persil

Le persil est un tonique du sang. Il est particulièrement riche en vitamines A et C, en fer et en chlorophylle.

Il possède également des propriétés dépurative, stimulante et diurétique. On le recommande dans les cas d'anémie, de goutte, d'arthrite, de rhumatisme et de troubles rénaux.

Piments

On connaît plusieurs va-
riétés de piments: doux
ou poivrons (verts, jau-
nes, rouges), forts (verts,
rouges, jaunes, cuivrés)
dont certains font pleu-
rer juste à les couper, de
cayenne (ou poivre de
cayenne) et poudre de
chili qui est en fait un mélange de piments et d'autres aromates.

Les piments sont en général de bonnes sources de vitamines A et C. La capsaïcine donne aux piments forts leur caractéristique. Cette dernière substance est un activant salivaire et digestif.

Les piments forts possèdent des vertus antiseptique, stimulante et diurétique.

SAVIEZ-VOUS QUE...

Le piment vert doux contient plus de vitamine C que l'orange.

Poivre

Autrefois, le poivre était employé pour masquer le goût des viandes avariées ou faisandées.

Le poivre noir est plus piquant que le poivre blanc, et le vert n'est tout simplement pas mûr.

Cette épice est un tonique, un stimulant et un excitant. Il ne faut pas en abuser, car il devient vite irritant.

Il est préférable d'acheter le poivre en grains et de le moudre au fur et à mesure de nos besoins, car il demeure frais plus longtemps lorsqu'il est entier.

Romarin

Le romarin est particulièrement riche en vitamine C. Il est antispasmodique, antiseptique, diurétique et digestif. Il stimule

toutes les fonctions, et plus particulièrement les fonctions hépatiques et les glandes surrénales.

Il contient du camphre, ce qui en fait un excellent antiseptique pulmonaire.

Il est avantageusement utilisé dans les cas de migraines digestives, de bronchite chronique, de sinusite, de rhume, de grippe, de faiblesse générale, de troubles digestifs, etc.

Safran

Le safran est de couleur orangée. Rouge, il peut être falsifié avec des fleurs de carthame. Il coûte très cher, car pour en obtenir environ 500 g, il faut de 75 000 à 80 000 stigmates de safran. À noter que chaque fleur produit trois stigmates.

On le dit digestif, stimulant et antispasmodique, et il favorise les menstruations.

Le safran se combine bien aux mets arabes et indiens.

Sarriette

Cette herbe aromatique a, comme principale propriété, l'avantage de combattre les fermentations intestinales. Elle accompagne donc très bien les légumineuses. Elle est aussi diurétique, vermifuge, expectorante et un stimulant cérébral puissant.

Sauge

Son nom nous vient du latin *salvus*, qui veut dire sauvé. Herbes sacrées chez de nombreux peuples, la sauge possède de nombreuses propriétés médicinales. C'est un stimulant de l'estomac, un diurétique, un antiseptique et un antispasmodique.

La sauge combat très bien les transpirations abondantes. Elle contient aussi un principe œstrogène qui régularise les menstruations difficiles. On la recommande donc pour les femmes ménopausées.

Attention, l'huile essentielle de sauge est épileptisante et toxique pour le système nerveux, même à faible dose. Il faut l'utiliser avec prudence.

Thym

On utilise les feuilles et les sommités fleuries. Toute personne qui fait un jardin devrait entretenir un plan de thym; il pousse très facilement et demande très peu d'entretien.

Le thym est un stimulant tant physique qu'intellectuel. Il constitue un excellent remède du système respiratoire et un antiseptique de grande valeur.

Il est donc recommandé dans les cas suivants: fatigue, anémie, toux, bronchite, asthme, troubles intestinaux, rhume, grippe et maladies infectieuses.

Le thym résiste bien aux longues cuissons. Il convient aux ragoûts, aux soupes et aux sauces tomate.

Vanille

On retrouve sur le marché de la vanille en gousses, en liquide, en poudre et en sucre vanillé. Attention, elle n'est pas toujours pure! Lisez bien les étiquettes.

Utilisée surtout dans les desserts (crèmes glacées, yogourts, pouddings, chocolats, etc.), la vanille possède néanmoins des propriétés curatives. Elle est tonique, digestive, antiseptique et, paraît-il, aphrodisiaque.

Source minérale

Sel

Doit-on ajouter du sel à nos aliments? Dans des conditions normales, non. Nos aliments nous apportent suffisamment de sel pour subvenir aux besoins de notre organisme. Le sel est indispensable à la vie de nos cellules, mais en abuser peut s'avérer néfaste à la santé (hypertension artérielle, troubles rénaux, sclérose, œdème, albuminerie, etc.).

Il existe deux grandes sources de sel: celui venant de la mer et celui extrait des mines. Notons que ces deux sources de sel, une fois raffinées, donnent du chlorure de sodium presque à l'état pur. Or, ce dernier possède un pouvoir corrosif et sclérosant.

La meilleure source de sel demeure le sel de mer, non raffiné, car il contient aussi d'autres éléments minéraux indispensables à la vie (magnésium, calcium, potassium, etc.)

Il faut citer l'action tonique du sel qui peut être bénéfique à l'occasion. Mais il ne faut jamais en abuser!

Obtenus par fermentation
Vinaigre

Le vinaigre est obtenu par la transformation de l'alcool en acide acétique par le micoderme du vinaigre.

L'usage modéré du vinaigre de bonne qualité est aussi recommandable que celui du citron, tous deux sources d'acides naturels.

Les meilleurs vinaigres restent le vinaigre de vin et le vinaigre de cidre de pomme. Le vinaigre blanc du commerce est un agent corrosif pour le corps humain. Personnellement, je n'utilise le vinaigre blanc que pour nettoyer les planchers et les vitres. C'est très efficace!

Les vinaigres de cidre et de vin ont des propriétés très voisines. Ils désinfectent l'intestin, combattent l'arthrite et l'encrassement des artères. Notons que le vinaigre de cidre de pomme est plus riche en potassium et en sels minéraux que le vinaigre de vin. Il est donc moins acide et plus reminéralisant.

Sauce soya

La véritable sauce soya est obtenue par la fermentation du soya avec de la levure, du sel et de l'eau. Cela n'a évidemment rien à voir avec les sauces soya commerciales qui contiennent du caramel, du sirop de maïs, du benzoate de sodium ainsi que des colorants et des arômes artificiels.

La valeur nutritive de la sauce soya naturelle se justifie par sa teneur en protides et en glucides provenant du soya et de la levure.

Au Japon, on lui reconnaît les propriétés médicinales suivantes: elle tonifie le tube digestif, elle restaure la flore intestinale et elle éliminerait les métaux lourds (par exemple, le plomb) et les déchets toxiques.

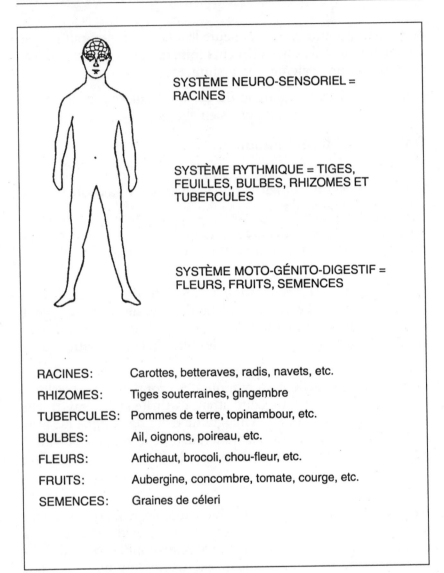

SYSTÈME NEURO-SENSORIEL = RACINES

SYSTÈME RYTHMIQUE = TIGES, FEUILLES, BULBES, RHIZOMES ET TUBERCULES

SYSTÈME MOTO-GÉNITO-DIGESTIF = FLEURS, FRUITS, SEMENCES

RACINES:	Carottes, betteraves, radis, navets, etc.
RHIZOMES:	Tiges souterraines, gingembre
TUBERCULES:	Pommes de terre, topinambour, etc.
BULBES:	Ail, oignons, poireau, etc.
FLEURS:	Artichaut, brocoli, chou-fleur, etc.
FRUITS:	Aubergine, concombre, tomate, courge, etc.
SEMENCES:	Graines de céleri

8

Les céréales et les germinations

Un grain entier se compose de trois parties: l'écorce, l'endosperme et le germe.

L'écorce du grain est constituée de plusieurs couches de cellulose que l'on appelle *son*. La fibre de la céréale et cette enveloppe comptent pour environ 15% du grain.

L'endosperme est la source principale des hydrates de carbone, donc, une source d'énergie obtenue par des sucres complexes.

Le germe, qui ne compte que pour environ 3% du grain, renferme des vitamines (surtout B et E), des acides gras essentiels et des minéraux.

Une fois la farine blanchie, il ne reste plus que l'endosperme. Le son et le germe ont été éliminés.

Les céréales

Le mot «céréale» vient du nom de la déesse romaine Cérès, qui était la divinité de l'agriculture. Elle fut identifiée à la déesse grecque *Déméter*.

Les céréales ont joué un rôle très important au cours de l'évolution humaine. Lorsque l'homme s'est sédentarisé, elles sont devenues un aliment de soutien très précieux. En suivant le gibier, le nomade possède son aliment de soutien qu'est la viande. Le sédentaire, même s'il possède des animaux, ne peut pas s'en nourrir indéfiniment, car ces derniers viendront à manquer tôt ou tard. Les céréales remplaceront le manque de viande, et vice versa.

Riz

Le riz, en Extrême-Orient, constitue l'élément principal de l'alimentation. En fait, près de la moitié de la population mondiale consomme cette céréale quotidiennement. Elle est sûrement la plus cultivée dans le monde entier.

Possédant une propriété hypotensive, le riz est un des aliments suggérés aux gens souffrant de haute pression. Il combat aussi très bien les diarrhées.

Entier, il est très nutritif. Blanchi, le riz a perdu environ 75% de ses matières grasses, plus de la moitié de ses minéraux (dont 70% de son magnésium et 50% de son phosphore et la quasi-totalité de la vitamine B_2). Voici quelques variétés de riz.

- **Riz à grains courts**: Contient plus de glutine, une substance collante.

- **Riz à grains longs**: Contient peu de glutine, se détache bien car il est peu collant.

- **Riz basmati**: Originaire de l'Inde et très aromatique.

- **Riz sauvage**: Plus riche en protéines, en fibres, en vitamines et en minéraux que le riz ordinaire. Il est aussi moins riche en matières grasses. Ce riz est très cher, car il n'est pas cultivé mais ramassé à l'état sauvage dans les marécages.

Avoine

L'avoine est la céréale des pays nordiques. C'est la meilleure céréale à consommer l'hiver pour ses propriétés énergisantes et même légèrement excitantes. D'ailleurs, plusieurs pays des régions froides (la Scandinave, l'Écosse et la Grande-Bretagne) ont fait de cette céréale un aliment de base. L'avoine favorise la croissance. Elle est donc recommandée aux enfants et aux adolescents.

Elle stimule la glande thyroïde et régularise le métabolisme. On la suggère aux diabétiques qui la tolèrent très bien grâce à sa vertu hypoglycémiante.

L' avoine contient beaucoup de nutriments (fer, potassium, phosphore, magnésium, calcium, vitamine B, carotène, acides gras essentiels et auxine, une substance hormonale qui favorise la croissance).

Millet

Cette céréale, avec le maïs, contient le plus de carotène (provitamine A) et est la plus alcalinisante. Elle est donc recommandée aux gens qui ont un taux d'acidité élevé. On y retrouve, entre autres, du calcium, de la silice, du phosphore, du magnésium, du fer, etc.

Le millet est la céréale la moins encrassante. On la suggère aux personnes souffrant de digestion lente et pénible. C'est aussi la céréale la moins allergène et offrant le meilleur équilibre au niveau des acides aminés.

Puisqu'elle est riche en mucilages adoucissants, on la recommande aux personnes constipées, souffrant d'ulcères d'estomac, de colites et de calculs biliaires.

Orge

L' orge est un grand fortifiant du système nerveux. C'est l'ami de la cellule nerveuse. Très riche en calcium et en phosphore, il contient aussi du fer, du magnésium et des vitamines du groupe B.

L' orge convient très bien aux diabétiques, car il est hypoglycémiant. Chez la femme qui allaite, il favorise la lactation. Il adoucit aussi le tube digestif. Il est recommandé aux personnes souffrant d'ulcères d'estomac et du duodénum.

On trouve sur le marché de l'orge mondé (entier) et de l'orge perlé, ce dernier ayant subi six opérations de polissage et perdu ses fibres, son germe, la moitié de ses protéines, de ses lipides et de ses minéraux. À éviter.

Le malt d'orge est utilisé pour la fabrication de la bière et du whisky, ainsi que comme succédané de sucre. Il se fait aussi du café à base d'orge grillé, sans caféine.

Seigle

Cette céréale, légèrement laxative, possède la propriété de fluidifier le sang. Elle convient très bien aux gens souffrant d'artériosclérose.

La digestion du seigle nécessite cependant une importante insalivation parce qu'il est riche en hydrates de carbone complexes. Cette céréale est très énergisante. On y retrouve beaucoup de phosphore, de fer, de calcium, de chlore, de niacine et de rutine.

Triticale

C'est un hybride obtenu par le croisement du seigle et du blé.

Sarrasin

Le sarrasin n'est pas une céréale en soi. En effet, il ne fait pas partie des graminés. C'est plutôt le fruit d'une plante de la famille des polygonacées.

Sa farine contient environ 60% d'amidon, 10% d'albumine et 8% de matières grasses. Le sarrasin est très riche en minéraux (calcium, sodium, fer, fluor, phosphore, magnésium, etc.), en vitamines des groupes B et D.

Il renferme aussi beaucoup de rutine, qui prévient les hémorragies en renforçant les capillaires et les petits vaisseaux sanguins. La rutine est essentielle à la bonne circulation surtout au niveau du cerveau, des reins et du foie (micro-circulation).

Le sarrasin est donc suggéré dans les cas suivants: hypertension, troubles cardiovasculaires, saignement et fausse couche.

Nous devons son appellation au fait qu'il fut autrefois l'aliment de base des armées sarrasines qui envahirent le sud de l'Europe vers les années 700.

Le kasha est du sarrasin rôti et concassé, très populaire dans les régions froides de l'ancienne Union soviétique.

Maïs

C'est la seule céréale qui soit originaire d'Amérique. Riche en matières azotées (protéines), en huile et en hydrates de carbone (sucres), le maïs constitue une bonne source de minéraux (calcium, potassium, phosphore, etc.), de vitamine B et de carotène.

Le maïs est un modérateur de la glande thyroïde. Il ralentit les échanges métaboliques trop rapides. Il est utile dans les cas de diarrhées chroniques causées par les déséquilibres thyroïdiens.

Bien qu'un peu moins équilibré au point de vue nutritif que les autres céréales, le maïs s'utilise souvent comme un légume d'accompagnement dans de nombreux plats cuisinés.

Le maïs soufflé n'est pas engraissant. C'est plutôt ce que l'on met dessus qui peut l'être (par exemple le beurre).

Blé

Le blé est la céréale la plus cultivée en Amérique du Nord. Malheureusement, on ne sélectionne pas les grains de blé pour leur valeur nutritive, mais pour le rendement qu'ils donnent à l'hectare.

Le grain de blé est un «œuf végétal» entouré d'une coquille, et le blé, par le son. L'albumine de l'œuf est ici remplacée par le gluten. La graisse phosphorée de l'œuf existe sous la forme d'aleurones dans le blé; les sels minéraux sont mieux équilibrés et plus complets dans le blé que dans l'œuf. Tout comme ce dernier, le blé renferme aussi un germe.

Le blé entier contient environ 12% de protides. Il est riche en phosphore, en calcium, en magnésium, en vitamines B et E. Il renferme aussi de nombreux enzymes.

Le raffinage et le blanchiment de la farine de blé est un véritable sacrilège alimentaire. On obtient alors une farine morte qui doit être «enrichie» artificiellement. Traité de la sorte, le blé a perdu environ 80% de son magnésium et 95% de sa vitamine E.

Le véritable pain complet doit être obtenu à partir du grain entier moulu sur une meule de pierre, ce qui ne chauffe pas le grain comme les cylindres métalliques à rotation rapide. Il devrait, de

GRAIN DE BLÉ

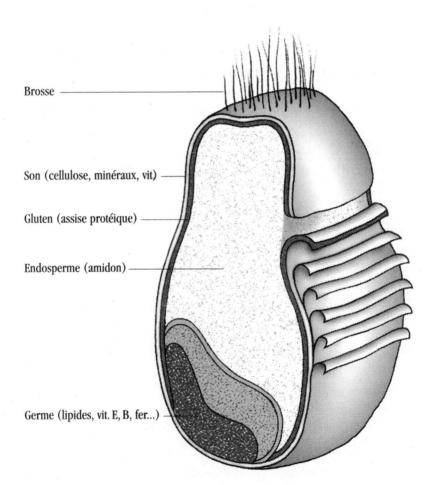

Brosse

Son (cellulose, minéraux, vit.)

Gluten (assise protéique)

Endosperme (amidon)

Germe (lipides, vit. E, B, fer...)

préférence, être travaillé au levain plutôt qu'avec des levures chimiques.

Le pain complet renferme les vitamines, les minéraux, les enzymes et les fibres du grain entier. Un tel pain ne se conserve pas très longtemps. Il moisit vite, ce qui prouve qu'il est vivant.

Le blé ne sert pas qu'à la fabrication du pain. En effet, il est employé pour la confection des pâtes alimentaires, de la plupart des pâtisseries, des couscous, des biscuits et des biscottes. On utilise aussi le son, le germe et l'huile. Une fois que le blé est germé, sa valeur nutritive s'en trouve augmentée.

Voici quelques différences entre les différentes sortes de blé et leurs utilisations.

- **Blé dur**: C'est un blé d'automne, très riche en gluten. Il est utilisé pour la fabrication du pain.

- **Blé mou**: C'est un blé de printemps, plus riche en hydrates de carbone. On l'utilise comme farine tout usage, surtout en pâtisserie.

- **Blé durum**: Sa farine s'utilise dans la fabrication des pâtes alimentaires.

- **Kamut**: Cette variété de blé durum est cultivée depuis 6000 à 8000 ans en Égypte. C'était le blé des pharaons. Sa teneur en protéines est plus élevée que le blé ordinaire, et son gluten cause moins de problèmes digestifs.

- **Épautre**: Il est cultivé en Europe depuis plus de 9000 ans. Certains l'ont baptisé le «blé des druides». Cette variété de blé contient plus de protéines, plus de lipides et plus de fibres que le blé régulier. Sa digestion est aussi plus facile.

Les germinations

Le germe, c'est la vie en pleine action, à son plein potentiel de développement. Consommer des germes, c'est consommer des aliments vivants, fortifiants et régénérateurs.

Le simple fait de faire germer un grain augmente sa richesse en éléments nutritifs vivants tels que la carotène (provitamine A), les vitamines des groupes B, C, E et K, les enzymes et la chlorophylle.

Les avantages de la germination sont nombreux. En voici quelques-uns:

- Les grains ne coûtent pas cher et produisent énormément;

- Les légumineuses et les céréales, une fois germées, sont beaucoup plus faciles à digérer, car l'amidon est transformé en sucres simples lors du processus de germination. Les matières minérales deviennent plus faciles à assimiler par le corps humain. Pour les pays nordiques, il s'agit d'une alternative intéressante pour pallier le manque de fruits et de légumes frais en saison froide;

- Une fois germé, la teneur en calories au volume des légumineuses diminue (250 ml = 40 calories environ).

Graine de tournesol

Très riche en vitamines B, D, E en enzymes et en minéraux, la graine de tournesol est considérée comme un aliment de soutien. Elle est utile l'hiver grâce à sa richesse en vitamine D.

Blé

Le blé germé est plus facile à digérer. On le recommande aux femmes enceintes ou qui allaitent ainsi qu'aux convalescents à titre de remontant.

Il est important de bien le mastiquer pour assurer une bonne digestion de ses sucres.

Il constitue une bonne source de vitamines des groupes A, B, C, E et K. De plus, il renferme une très grande variété de minéraux.

Il faut préciser qu'une fois germé, le blé contient 3 fois plus de vitamine E, 6 fois plus de vitamine C, et de 20 à 1200% plus de vitamines du groupe B.

On peut utiliser les aliments germés dans presque tous les plats. Il est fortement suggéré de ne pas les faire cuire, mais de les ajouter après la cuisson dans les soupes ou les plats cuisinés, comme le chop suey.

Dans les salades et les sandwichs, ils ne posent pas de problèmes et on peut même les passer à l'extracteur à jus. Les jus d'herbes germées augmentent d'autant plus la valeur nutritive des jus de fruits et de légumes faits à la maison.

9

L'absorption et l'assimilation

Nous sommes ce que nous assimilons.

Nous savons tous qu'il est important de bien digérer nos aliments. Il est cependant encore plus important de bien assimiler les nutriments contenus dans ces derniers. Une bonne digestion constitue un excellent point de départ à toute bonne assimilation.

Les combinaisons alimentaires

La notion de «combinaison alimentaire» vise avant toute chose une meilleure digestion de nos aliments ainsi que l'assimilation maximale des nutriments qu'ils contiennent. Sans sectarisme et sans rigueur absolue, les combinaisons alimentaires peuvent être d'un grand secours, surtout dans les cas de digestion pénible. Souvent, le seul fait de suivre quelques notions de base des combinaisons alimentaires suffit pour régulariser les troubles digestifs les plus tenaces. Pour établir de bonnes combinaisons alimentaires, il faut d'abord classifier les aliments selon leurs apports nutritionnels: protidiques, lipidiques et glucidiques, et selon les catégories d'aliments: les fruits (doux, mi-acides et acides), les légumes verts, les féculents, les melons, les condiments et les aromates, ainsi que les boissons. Certains aliments peuvent être représentés dans plus d'une catégorie.

LES COMBINAISONS ALIMENTAIRES

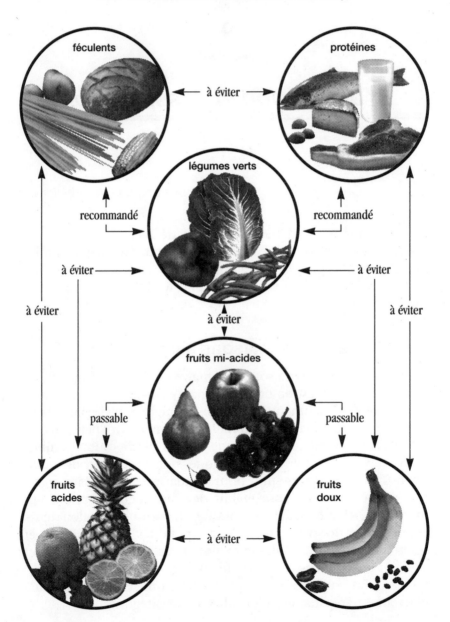

Sources protidiques

Ce sont des aliments particulièrement riches en protéines.

- Viandes
- Poissons
- Noix
- Céréales entières
- Légumineuses (pois, fèves, lentilles, haricots)
- Produits laitiers (lait, fromages, yogourt)

Sources lipidiques

Ce sont des aliments riches en matières grasses.

- Beurre
- Crème
- Fromage
- Lard
- Noix
- Huiles (olive, tournesol, soya, sésame, maïs, etc.)

Sources glucidiques

- Fruits
- Sucre (brun et blanc)
- Sirops
- Fruits séchés
- Miel
- Sirop d'érable
- Mélasse

Catégories d'aliments

Fruits doux

- Banane
- Datte
- Figue
- Pruneaux
- Pomme jaune Délicieuse
- Raisins secs (Sultana et Thompson)

Fruits mi-acides

- Cerise
- Pomme
- Papaye
- Prune
- Pêche
- Abricot
- Poire
- Bleuet
- Mangue
- Raisins verts
- Raisins rouges

Fruits acides

- Citron
- Lime
- Tomate
- Pamplemousse
- Ananas
- Orange
- Fraise
- Framboise
- Kiwi

Melons

- Pastèque
- Cantaloup
- Melon miel

N.B. Les melons doivent être mangés seuls.

Légumes verts

- Laitue
- Brocoli
- Céleri
- Concombre
- Persil
- Chicorée

- Pissenlit
- Chou de Bruxelles
- Piment vert doux
- Poireau
- Ciboulette
- Aubergine

- Feuilles de betteraves
- Haricots verts
- Chou
- Épinard
- Courge
- Fines herbes

Féculents

- Céréales
- Citrouille
- Arachide

- Pommes de terre
- Betterave
- Marron

- Carotte
- Légumineuses (fèves, pois, etc.)
- Courge

Condiments et aromates

- Poivre
- Épices fortes
- Vinaigrettes

- Sel
- Vinaigres
- Marinades

Il convient d'utiliser sagement les condiments et les aromates, car ils sont irritants.

Boissons

- Jus de fruits
- Jus de légumes
- Eau
- Café de céréales

- Café
- Thé
- Tisanes

Note: Il est préférable de ne pas boire en mangeant, car cela dilue les sucs digestifs et les rend moins aptes à accomplir leur travail de digestion. L'eau pure, les jus (fruits et légumes) et les tisanes restent les meilleures boissons pour la santé.

Desserts

Les desserts tels que les pâtisseries, les glaces, les biscuits, etc., ne sont que des superflus. S'ils sont mangés à la fin du repas, ils contribuent à ralentir la digestion et à créer des gonflements. Évitez les desserts même constitués de fruits. Ces derniers devraient être consommés de 20 à 30 minutes avant les repas.

10

La chimie alimentaire

On ne peut plus le cacher, la plupart de nos aliments sont carencés, chimifiés et dénaturisés. Les sols qui fournissent les fruits, les légumes, les noix, les légumineuses et les céréales sont appauvris et déséquilibrés par l'apport excessif d'engrais de synthèse. Les animaux de boucherie sont nourris avec des moulées provenant des mêmes sols, mais en plus, ils sont surmédicalisés (hormones, vaccins, antibiotiques). Ce sont souvent des animaux anémiques qui arrivent à l'abattoir.

Nos aliments sont dévitalisés, chimifiés, empoisonnés par les nombreux insecticides, antifongiques et herbicides; traités au chlore, au fluor, à l'acide phosphorique, aux sulfites; hydrogénés, vieillis et souvent rancis; souvent trop cuits, trop salés ou surgelés; on leur ajoute des agents de conservation, des antiseptiques, des anti-oxydants, des épaississants, des édulcorants, des émulsifiants, etc.

Comme si ce n'était pas déjà suffisant, nos aliments sont aussi aromatisés synthétiquement, pasteurisés, homogénéisés, irradiés, mûris au gaz, blanchis, décolorés, vitaminés synthétiquement, etc.

En plus de tout cela, il faut tenir compte des autres poisons qui sont consommés, souvent en grande quantité (et sur plusieurs années), comme la caféine (thé, café, cola, maté, chocolat), la théobromine (cocas), la nicotine (tabac) et l'alcool.

L' empoisonnement par l'abus de médicaments est de plus en plus fréquent: hormones, vaccins, sérums, aspirines, calmants, cortisone, anti-histaminiques, sédatifs, laxatifs, rayons X, anesthésiques, anticoagulants, analgésiques, antibiotiques (anti, qui signifie contre et bio, la vie), etc.

Après avoir brossé ce sombre tableau, il n'est pas surprenant que la majorité de la population soit si malade et si dévitalisée. La nécessité de réformer nos habitudes de vie et de société est des plus urgentes.

L'important consiste à lire les étiquettes avant d'acheter et à choisir les meilleurs produits possible pour notre alimentation. Mangeons le plus frais et le plus pur possible. Demandons aussi aux marchands et aux fabricants des aliments les moins dénaturés possible. Ne fonctionnent-ils pas avec l'offre et la demande? Créons la demande de meilleurs aliments, cela est vital. En effet, bon an, mal an, on consomme entre 3 et 4 kg d'additifs alimentaires.

Voici une brève liste des additifs que l'on retrouve dans nos aliments. Il y en a environ 2600 sortes sur le marché et peut-être même davantage.

NOM	SANS DANGER	À ÉVITER (car suspect)	DANGEREUX
ALUMINIUM		X	
CARBONATE DE CALCIUM	X		
CAROTÈNE	X		
TARTRAZINE			X
ACÉTATE DE CALCIUM			X
BENZOATE DE SODIUM			X
MÉTABISULFITE			X
SORBATE DE POTASSIUM			X
NITRATE DE POTASSIUM			X
B H A			X
B H T			X
ACIDE ASCORBIQUE (VITAMINE C)	X		
ACIDE CITRIQUE	X		
ACIDE SULFURIQUE			X
CHLORURE DE POTASSIUM		X	
MONOCITRATE DE POTASSIUM		X	
POLYSPHOSPHATE DE CALCIUM		X	
STÉARATE DE MAGNÉSIUM		X	
SULFATE DE CALCIUM	X		
SULFATE DE SODIUM			X
ASPARTHAME			X
GLUTAMATE MONOSODIUM			X
BROMATE DE POTASSIUM			X
PROPYLÈNE GLYCOL			X

Comme si ces nombreux poisons n'étaient pas suffisants, on parle aujourd'hui d'irradier les aliments (ce qui est déjà commencé d'ailleurs) pour les conserver plus longtemps.

Selon Statistique Canada, environ 117 millions de livres d'additifs synthétiques ont été utilisés au Canada en 1979. Cela représente une moyenne de 2, 3 kg par habitant pour une année.

Il faut noter que plus de 80% des additifs sont, à la base, des sels minéraux extraits de la terre. Ces sels possèdent un pouvoir sclérosant très puissant et favorisent le durcissement des tissus.

La transformation et le raffinage

La transformation et le raffinage font perdre à nos aliments de base une partie de leur valeur nutritive; à titre d'exemple, le raffinage du blé entraîne la perte des fibres et du germe. Dans le germe se trouvent plusieurs vitamines des groupes B et E, beaucoup d'enzymes, de minéraux et d'oligo-éléments. Les précieux acides gras essentiels s'y trouvent également.

Le sucre raffiné (à 99,9%) a perdu ses minéraux qui sont essentiels au métabolisme glucidique.

Les huiles, à la suite des nombreux traitements (chaleur, solvants, etc.), perdent, quant à elles, les vitamines des groupes A et E, la choline, le linositol, la lécithine et les acides gras essentiels.

Ces trois produits – farine, sucre et huile – ne sont-ils pas les éléments de base des préparations alimentaires? Que sont devenus ces éléments de base? Des aliments morts et dévitalisés.

Selon le Service de l'agriculture américain, la valeur nutritive des aliments a diminué de 60% depuis les 50 dernières années. La quantité quotidienne de vitamine E, pour ne citer que celle-ci, était estimée à environ 150 unités internationales avant que l'on enlève le germe au blé. Aujourd'hui, avec le raffinage de la farine, il est estimé à environ 7,4 unités internationales par jour.

Les extrêmes avancent souvent par deux. Notre industrie alimentaire produit des aliments de plus en plus carencés, et c'est dans nos pays industrialisés qu'il existe les plus grands problèmes de santé reliés à la suralimentation. Intéressant, n'est-ce pas?

Plusieurs problèmes de santé peuvent être reliés à l'intoxication. En voici quelques-uns, parmi les plus courants:

- Fatigue chronique
- Diarrhée
- Rhumatismes
- Acné
- Cellulite
- Transpiration abondante
- Kystes
- Maux de tête
- Troubles de la vue
- Rhumes et grippes à répétition
- Bronchite
- Allergies
- Amygdalites
- Goutte
- Bursite
- Insomnie
- Constipation
- Douleurs musculaires
- Arthrite
- Cataracte
- Engorgement du foie
- Furoncles (clous)
- Mauvaise haleine
- Nervosité
- Vomissement
- Sinusite
- Raideurs articulaires
- Dermatite
- Tumeurs
- Prostatite

Note: Souvent à l'intoxication s'ajoutent des troubles de carence.

Le charbon végétal activé

Pour faire face aux nombreux additifs alimentaires, la cure au charbon végétal activé s'avère un précieux atout.

Remède naturel numéro un des centres anti-poison, le charbon végétal possède un pouvoir d'adsorption énorme. L'adsorption est la faculté que possède un corps de fixer sur sa surface des molécules, des atomes ou des ions qui entrent en contact avec lui. Le charbon végétal possède une surface d'adsorption d'environ 1 km^2 pour 1 cm^3 de poudre fine. Les toxines métaboliques, les micro-organismes nuisibles, les produits chimiques, les métaux lourds et plusieurs médicaments sont captés lors d'une cure de charbon. Attention, les gens qui prennent un produit médicamenteux devraient s'informer avant d'entreprendre une carbo-thérapie, car elle peut supprimer complètement l'action médicamenteuse (incluant la pilule contraceptive).

Le charbon végétal se présente en capsule de gélatine ou en poudre. Sous cette dernière forme, il est plus économique mais plus difficile à consommer. En capsule, l'inconvénient majeur demeure la grande quantité à avaler, soit de 8 à 10 capsules par jour pour avoir une bonne dose de charbon. Les capsules devraient contenir de 300 à 400 mg de charbon.

Le charbon végétal occasionne des selles noires, ce qui est tout à fait normal. Une bonne cure dure entre une et trois semaines, selon les cas, et peut être renouvelée une à quatre fois l'an. À titre d'exemple, chaque changement de saison constitue une bonne cure préventive.

On emploie la cure de charbon dans les cas suivants: gaz intestinaux, ballonnements, cholestérol élevé, intoxications diverses, arthrite, rhumatisme, acné, etc.) Dans certains cas, comme la constipation, il est bon d'y ajouter un laxatif léger qui peut devenir un bon complément à toute cure de désintoxication.

11

Les super-aliments ou les suppléments alimentaires

Qu'est-ce qu'un super-aliment? C'est simple, il s'agit d'un aliment très concentré en éléments nutritifs. Un super-aliment n'est pas une vitamine concentrée ou une multivitamine comme telle; il s'agit plutôt d'un produit alimentaire très riche en vitamines, en minéraux, en enzymes, etc. Ce sont des aliments ou des substances tirés d'aliments (par exemple la lécithine) mais qui demeurent des aliments en soi.

Les super-aliments ne remplacent pas une bonne alimentation de base, mais ils viennent en améliorer la qualité nutritive. Ils sont mieux absorbés et mieux utilisés par l'organisme que les vitamines et les minéraux isolés. Les super-aliments contiennent en plus des substances vitaminiques et minérales, des éléments (par exemple les enzymes) qui favorisent leur assimilation.

Voici quelques super-aliments parmi les plus efficaces sur le marché. Il en existe bien d'autres, mais nous ne mentionnerons ici que les plus faciles à trouver.

Lécithine

Toute cellule vivante, qu'elle soit végétale ou animale, contient de la lécithine. Chez l'être humain, tous les organes vitaux en ont. Le cerveau, par exemple, en est constitué à 30% de son poids sec. Le système nerveux, quant à lui, en renferme 17%. Puis viennent le foie, le cœur, les reins et les glandes endocrines.

Le foie peut synthétiser cette précieuse substance essentielle à la vie cellulaire. Pour que ce dernier puisse fabriquer de la lécithine, il lui faut principalement de la choline, de l'inositol (deux facteurs lipotropiques), des gras insaturés et du magnésium. Ces dernières substances sont éliminées des aliments par leur raffinage.

Constituée de phospholipides, la lécithine est un soutien du système nerveux et du cerveau, ainsi qu'un très bon agent émulsifiant. Elle est employée avec succès dans les traitements de l'hypercholestérolémie.

La lécithine est utile dans les cas suivants: angine de poitrine, lithiase biliaire, hypertension artérielle, fatigue nerveuse, stress, dépression, angoisse, arthériosclérose et athériosclérose.

La lécithine se présente sous différentes formes: en capsules de gélatine, en liquide et en granules (celles-ci doivent toujours être conservées au réfrigérateur). C'est sous cette dernière forme qu'elle est la plus digestible, donc le mieux absorbée par l'organisme. À titre d'information, 45 ml de lécithine granulée est l'équivalent de 8 à 10 capsules de 1200 mg.

Algues

Éléments «tige et feuilles», les algues nous donnent déjà une bonne piste quant à leur relation avec notre système rythmique.

Les algues sont au point de départ de la vie sur notre globe. Elles sont responsables de l'apparition de l'oxygène grâce à la photosynthèse. Elles produisent environ 75 à 80% de tout l'oxygène. Elles sont l'union entre le soleil, l'air, l'eau et la terre.

Ces plantes marines sont très rudimentaires. En effet, elles n'ont à vrai dire ni fleurs, ni fruits, ni feuilles. Elles peuvent être minuscules ou bien atteindre de 50 à 60 m et peser jusqu'à 300 kg.

Nous dénombrons aujourd'hui environ 25 000 espèces d'algues. Qu'elles soient d'eau douce ou d'eau salée, les algues sont des sources d'éléments nutritifs très concentrés.

Cependant, il est bon de commencer la consommation d'algues par de petites quantités parce que ce sont des aliments auxquels nous ne sommes pas accoutumés. Certains peuples, comme les Japonais, en consomment depuis des millénaires. Pour nous, c'est différent. Alors, allons-y lentement et sûrement comme pour tout aliment nouveau.

Nous retrouvons sur le marché une grande variété d'algues de mer et d'eau douce. En voici quelques-unes.

Les algues de mer

Hijìki

Cette algue nous vient des mers chaudes au sud du Japon. Les Japonais en font une très grande consommation. L'hijìki est une des algues de mer qui contient le plus de minéraux et d'oligo-éléments. Sa grande richesse en calcium en fait un aliment de choix pour tous les déminéralisés.

C'est aussi une bonne source de fer, de vitamines du groupe B (dont la B_{12}) et de chlorophylle. Très recommandée aux anémiés, on la suggère avantageusement aux femmes enceintes et à celles qui allaitent.

Aramé

C'est une algue brune qui provient des côtes du Pacifique. Très riche en hydrates de carbone, l'aramé apporte de l'énergie au corps humain. Elle est également une bonne source d'iode, de chlorophylle, de vitamines du groupe B et de calcium.

Laitue de mer

Cette algue verte est consommée depuis plusieurs siècles dans les pays nordiques. Sa plus grande richesse, mis à part ses minéraux, est la chlorophylle. On y trouve aussi une bonne quantité de provitamine A (bêta-carotène); elle contient entre 15 et 20 g de protéines par 100 g.

Dulse

Cette algue rouge pousse dans les mers du Nord. D'un goût très salé, elle est surtout riche en iode, en sodium, en protéines et en carotène. De plus, elle contient une quantité très appréciable de vitamines et de minéraux de tout genre.

Nori

C'est une autre algue rouge très appréciée des Japonais. Comme la plupart des algues rouges, elle est riche en carotène. On y trouve aussi plusieurs vitamines (B, C et D) et minéraux, dont le fer. Très riche en protéines, elle sert aussi d'ingrédient de base dans la préparation des sushis.

Wakamé

Cette algue est très riche en calcium. On y retrouve à peu près les mêmes vitamines et minéraux que les autres algues. Au Japon, on dit qu'elle est antibactérienne et on la recommande dans les cas de problèmes de peau et d'ongles et de la perte des cheveux.

Kambu

Sa principale valeur nutritive est sa richesse en iode. On la re-commande dans les cas de faiblesse de la glande thyroïde. Elle fait merveille dans les cas de basse pression sanguine ainsi que dans les déséquilibres glandulaires en général. C'est aussi, comme l'ensemble des algues, un très bon tonique du sang.

Kelp (ou varech)

C'est une variété d'algues dont les propriétés sont très voisines du kambu. Elle provient des côtes atlantiques du Maine.

La consommation suggérée quotidiennement d'algues de mer se situe entre 1 à 10 g par jour.

Les algues d'eau douce

Spiruline et chlorelle

Ces algues microscopiques poussent dans les lacs aux eaux chaudes et alcalines. Elles seraient vieilles de deux milliards d'années. Elles sont donc à l'origine de la vie sur la terre.

Leur grande particularité est qu'elles contiennent entre 60 et 70% de protéines. Nous savons que les viandes, considérées comme les meilleures sources de protides, en contiennent environ 18%. De plus, et chose rare chez les végétaux, elles renferment les huit acides aminés essentiels.

Comme les algues de mer, leur richesse en minéraux et en oligoéléments est particulièrement élevée, mais moins que ces dernières. Ce sont de très bons reminéralisants.

Autre particularité, leur teneur en chlorophylle se situe entre 2 et 3%. La luzerne, que l'on considère souvent comme un des aliments les plus riches en pigments chlorophylliens, n'en contient que 0,2% environ.

Du point de vue de leur teneur en vitamines, la spiruline et la chlorelle sont particulièrement riches en vitamines du groupe B et en bêta-carotène.

Signalons, en terminant, que le nom de spiruline vient du fait que cette algue a la forme d'une petite spirale. Spirale dans l'infiniment petit et spirale dans l'infiniment grand: notre galaxie est aussi une spirale. Il est en haut comme il est en bas, disait le fameux Hermès.

On les suggère dans les cas suivants: anémie, fatigue physique et nerveuse, dépression, hypoglycémie ainsi qu'aux sportifs.

Attention, bien que ce soit des super-aliments, la spiruline et la chlorelle ne remplacent pas une bonne alimentation de base. Méfiez-vous toujours des marchands de panacées.

Levures

On trouve sur le marché plusieurs sortes de levures: de bière, de vin, Torula, Engévita, etc.

Les levures sont des champignons microscopiques. En général, elles sont toutes d'une grande richesse en vitamines du groupe B et d'excellentes sources de protéines, de phosphore, de fer et de plusieurs oligo-éléments.

Elles constituent des aliments très fortifiants et utiles à l'ensemble des fonctions du corps humain. On suggère l'utilisation des levures alimentaires dans les cas suivants: anémie, fatigue physique et nerveuse, femme qui allaite, hypoglycémie, diabète, problèmes de peau, etc.

Voici quelques différences existant entre les diverses levures.

- *Levure Torula:* forte teneur en protéines;

- *Levure de bière:* protéines, vitamine B, phosphore;

- *Levure de vin:* contient plus de fer et est plus facilement digestible;

- *Engévita:* protéines, oligo-éléments;

- *Levure de bière vivante:* riche en vitamines du groupe B, active et régénère la flore intestinale. Elle doit être consommée rapidement, car elle ne se conserve pas très longtemps. À conserver au réfrigérateur.

Il existe maintenant sur le marché des levures désamérées. Elles sont douces au goût, donc moins amères que les levures brutes.

En général, on trouve les levures en poudre, en comprimés ou en pâte (pour la levure vivante). Les poudres, quant à elles, sont beaucoup moins coûteuses et n'ont pas les agents liants des comprimés.

Pollen de fleurs

Le pollen étant l'hormone mâle des fleurs, cela en fait un puissant tonique du système moto-génito-digestif de l'homme. On y trouve également beaucoup de vitamines des groupes B, C et E, et de la carotène (provitamine A). À noter que certains pollens contiennent jusqu'à 20 fois plus de carotène que les carottes.

La présence de protéines, d'hydrates de carbone, de phospholipides (lécithine), d'enzymes ainsi que de minéraux (calcium, magnésium, fer, phosphore, potassium, silice, etc.) en fait un aliment à peu près complet.

De plus, le pollen, qui est une bonne source de rutine (fortifiant des vaisseaux sanguins), contient également une hormone de croissance et des substances antibiotiques.

On recommande le pollen dans les cas suivants: troubles de la flore intestinale, déminéralisation, rachitisme, anémie, fatigue chronique, nervosité, prostatite, troubles de la vision, stérilité et impuissance.

Il est préférable d'acheter le pollen frais et de saison; son coût est plus abordable en grains qu'en comprimés. Pour une meilleure digestion, il faut utiliser le pollen en grains. Le pollen doit être conservé dans un endroit frais et à l'abri de la lumière.

Pour une bonne cure de pollen, on suggère d'en ingurgiter 5 ml, une ou deux fois par jour, trois semaines par mois durant un à trois mois, selon les besoins. Attention aux allergies et voir à bien l'insaliver et à le mastiquer.

Poudre d'os

La poudre d'os est l'une des meilleures sources de calcium. Elle n'en contient peut-être pas autant que la coquille d'huître par exemple, mais sa composition la rend beaucoup plus utilisable par l'organisme. En fait, on y trouve aussi tout ce qui est essentiel pour élaborer des os de bonne qualité (phosphore, calcium, magnésium, silice, potassium, fluor, zinc, fer, cuivre, vitamines A et D).

La rigidité du squelette dépend de la bonne utilisation des minéraux et des oligo-éléments par l'organisme. La poudre d'os, déjà très riche en éléments minéraux, se digère très bien et s'assimile très facilement. Une carence en minéraux, surtout en calcium, entraîne des troubles du système nerveux, de l'anémie, de l'insomnie, de la carie dentaire, de la faiblesse musculaire, l'hyperacidification des tissus pouvant conduire à l'arthrite, l'arthrose, l'ostéoporose, etc.

On parle souvent de l'importance du calcium pour le tissu osseux, mais on ne mentionne jamais le phosphore qui joue un rôle indispensable à l'édification des os et des dents. La poudre d'os de qualité constitue une excellente source de ce minéral.

On peut l'employer aussi dans les cas suivants: crampes, grossesse, fragilité des ongles, déminéralisation, troubles cardiovasculaires, mauvaise coagulation sanguine, ulcères, troubles de la dentition et des gencives, eczéma, etc.

Germe de blé

C'est la partie du grain de blé la plus vitaminée. Le germe de blé est particulièrement riche en vitamine E. Il renferme aussi des vitamines du groupe B, du phosphore, du calcium, du magnésium, etc.

Le germe étant la vie, en ajouter à ses aliments les vivifie et les rend plus nutritifs. On suggère souvent avec succès des cures de germe de blé aux gens souffrant de fatigue, d'anémie, de manque de tonus musculaire, de stérilité (masculine et féminine) ainsi qu'aux femmes enceintes et qui allaitent.

L'huile qui est extraite du germe représente la meilleure source de vitamine E connue. Elle renferme aussi des acides gras essentiels en bonne quantité. Elle est cicatrisante, tonifiante et revitalisante. Sa richesse lipidique en fait un aliment du système neurosensoriel, et plus particulièrement du cerveau, du système nerveux et de la peau. On la suggère aux athlètes pour augmenter l'endurance physique ainsi qu'aux femmes enceintes pour favoriser un accouchement plus facile.

Luzerne

La luzerne est l'une des plantes terrestres la plus riche en minéraux parce qu'elle possède des racines plongeant très profondément dans le sol. Elle constitue aussi une bonne source de protéines et de vitamines des groupes B et K.

C'est principalement la tige et la feuille qui sont le plus consommées. Riche en chlorophylle, la luzerne est un tonique du sang, un diurétique ainsi qu'un bon dépuratif. Sa très grande source de vitamine K la rend très utile dans les cas de mauvaise coagulation sanguine. Elle est reminéralisante et antiacide. On la suggère dans tous les cas d'arthrite, de goutte, de rhumatisme et de lumbago.

La luzerne se consomme facilement germée. C'est d'ailleurs la meilleure façon de la consommer, mélangée aux salades, aux crudités, dans les sandwichs, etc. Sous forme de comprimés, elle perd une partie de son activité biologique.

Ginseng

La racine de ginseng est souvent vantée comme une panacée qui guérit tout. Ne sombrons pas dans l'excès des vendeurs de paradis: le ginseng constitue un très bon tonique du système neurosensoriel.

Étant une racine, le ginseng est riche en minéraux et en oligo-éléments. Il contient aussi des vitamines du groupe B et une substance voisine des hormones sexuelles.

On le recommande dans les cas de fatigue générale (physique et intellectuelle), de convalescence, de sénescence, d'impuissance, de troubles neurologiques, de nervosité, etc.

Attention, le ginseng doit avoir au moins 5 à 7 ans pour être valable, idéalement 7 à 10 ans et cela, peu de compagnies peuvent le garantir.

Il est préférable de faire des cures et de ne pas l'utiliser sur une base régulière afin d'éviter une accoutumance possible du produit.

Gelée royale

C'est l'aliment exclusif de la reine des abeilles. La gelée royale permet à une simple ouvrière stérile et ayant une durée de vie d'environ 45 jours, de vivre environ 5 ans et de pondre des milliers d'œufs.

Les cures de gelée royale sont donc particulièrement indiquées dans les cas de stérilité (masculine et féminine) et de vieillissement précoce. On la recommande aussi dans les cas de fatigue, de troubles nerveux (car elle est riche en vitamines B), d'anémie, de manque d'entrain et de dépressions (physiques et nerveuses). Elle constitue un bon remontant en tout temps. Méfiez-vous cependant des gelées royales diluées ou falsifiées. Pour bien se conserver, elle doit être empaquetée sous vide (ampoules) ou maintenue au réfrigérateur (en pot), et les capsules devraient être tenues au frais.

Pour bien profiter d'une cure de gelée royale, il est suggéré de la consommer à petite dose, mais plus souvent (par exemple, une capsule avant chaque repas).

Note: Pour plus de renseignements sur le pollen et la gelée royale, lisez le livre du Dr Baugé-Prévost, N.D., *La santé par les produits de la ruche*, publié aux Éditions Quebecor.

Chlorophylle

La chlorophylle, c'est le sang des végétaux. Sa ressemblance avec le sang humain est frappante: une molécule d'hémoglobine du sang humain renferme un atome de fer, tandis que la molécule de chlorophylle contient un atome de magnésium.

La plante fabrique la chlorophylle à partir de l'énergie du soleil. C'est l'union du céleste et du terrestre, tout comme notre sang. Plus une plante est verte, plus elle est riche en chlorophylle.

La chlorophylle constitue donc un précieux tonique sanguin. Elle s'emploie avec succès dans les cas d'anémie et neutralise efficacement l'acide. On la recommande aux personnes souffrant d'arthrite, de rhumatisme, de goutte, de tendinite et de lumbago.

La chlorophylle est aussi un puissant agent purifiant des humeurs. Dans les cas d'infections, de sinusite, de mauvaise haleine, de troubles urinaires et de constipation, on ne saurait trop la recommander.

Dans toutes les cures de désintoxication, la chlorophylle a sa place.

On la trouve sous diverses formes: en comprimés, en capsules, en gouttes et en bouteille, sous forme liquide. La chlorophylle liquide s'assimile plus rapidement et est souvent pure, sans alcool ou agent de conservation synthétique.

La posologie moyenne pour un adulte se situe entre 2,5 et 10 ml par jour, selon le cas. Pour les enfants de moins de huit ans, il faut réduire de moitié les quantités. La chlorophylle peut donner des selles vertes. C'est normal et sans danger.

12

Les boissons

Eau

Facteur naturel de santé, l'eau est indispensable à la vie. D'ailleurs, ne sommes-nous pas fait de plus de 70% d'eau? N'oublions pas que nous habitons la planète de l'eau.

Elle est assurément notre meilleure boisson. Est-il besoin d'insister sur le fait que l'eau doit être la plus pure possible? L'eau du robinet est peut-être jugée *potable*, c'est-à-dire qu'elle n'est pas impropre à la consommation, mais cela n'en fait pas une eau de qualité pour autant. L'eau des villes est chlorée et souvent fluorée, deux poisons pour la santé.

Une bonne eau de source est encore la meilleure que nous puissions consommer. (Attention à la qualité de l'approvisionnement.)

Que penser de l'eau distillée? Elle est pure à 100%. La distillation permet de récolter la vapeur d'eau préalablement bouillie et de la recondenser sous forme liquide. Bien qu'étant une eau très pure, elle peut devenir à long terme déminéralisante. Il ne faut pas en abuser. À court terme, cependant, elle peut être très utile au nettoyage de notre filtre rénal. On la suggère avec succès dans les cas de pierres aux reins.

L'eau, obtenue par osmose inversée, est très bonne. Elle se rapproche de l'eau distillée, mais elle ne déminéralise pas comme cette dernière, à long terme.

Quant à la filtration à l'aide de filtre au charbon, elle n'élimine pas les bactéries, les virus et les métaux lourds.

Jus

Il est question ici de jus frais faits avec un extracteur de jus et non pas des jus achetés à l'épicerie.

Pourquoi faire son jus soi-même? Pour sa fraîcheur et sa qualité. En voici quelques avantages.

- Le principal avantage est la très grande digestibilité des fruits et des légumes sous la forme de jus.

- La digestion et l'absorption des nutriments est très rapide, entre 20 et 30 minutes environ.

- Les jus offrent l'avantage d'être à la fois de très bons reminéralisants et de très bons désintoxicants de l'organisme.

- Ils offrent l'avantage de consommer des aliments crus. En effet, la cuisson détruit certains éléments nutritifs de nos fruits et légumes. Aussi, pour certaines personnes, les jus sont plus faciles à digérer que les légumes crus.

Ils peuvent être consommés régulièrement. Ici, comme dans toute chose, la modération et la variété sont des facteurs importants.

Nous devrions boire au minimum un verre de 175 ml par jour; ou alors, 120 ml avant chaque repas, donc trois fois par jour, serait très bien. Au besoin, les jus peuvent être coupés de moitié avec de l'eau de source, si vous avez des difficultés digestives.

Idéalement, il faut boire les jus 20 à 30 minutes avant les repas pour ne pas les mélanger aux aliments, ce qui retarderait leur absorption et nuirait à leur digestion, créant ainsi des problèmes de fermentation.

Les jus sont riches en sucres naturels et leur digestion commence avec la salive. Il est donc important d'insaliver correctement les jus et de les boire lentement.

Il est toujours préférable de boire immédiatement les jus plutôt que de les préparer plusieurs heures à l'avance. Même au froid, ils ne se conservent pas très bien; l'oxygène de l'air tend à les oxyder.

Voici quelques recettes de jus pouvant grandement améliorer certains problèmes de santé.

ACIDITÉ :
- carotte, concombre, betterave

ACNÉ :
- carotte, pomme, céleri
- carotte, pomme, persil

ANÉMIE :
- carotte, betterave, persil
- carotte, betterave, épinard
- carotte, betterave, céleri
- raisins rouges

ARTHRITE :
- carotte, pomme, céleri
- carotte, céleri, concombre
- céleri seul
- céleri, concombre

CONSTIPATION :
- carotte, pomme, céleri
- carotte, pomme, pruneau

DIARRHÉE :
- carotte, pomme

GOUTTE :
- les mêmes que pour l'arthrite

PROBLÈMES DE PEAU :
- carotte, pomme, céleri
- carotte, concombre, céleri
- carotte, céleri, persil

RHUME ET GRIPPE :
- carotte, pomme, piment vert doux
- pamplemousse, orange, citron

TROUBLES DES REINS :
- carotte, concombre
- concombre, céleri

TROUBLES DU FOIE :
- carotte, betterave, pomme
- carotte, betterave, pissenlit

ULCÈRES D'ESTOMAC :
- carotte, chou
- carotte, pomme, chou
- carotte, chou, luzerne

VUE :
- carotte, betterave, pissenlit
- carotte, pomme, céleri
- carotte seule

Le très célèbre mélange carotte, céleri et pomme constitue un jus très complet. La carotte nourrit le système neuro-sensoriel, le céleri draine le système rythmique et la pomme est l'aliment du système moto-génito-digestif.

Les fruits et les légumes frais sont aussi une source d'eau physiologiquement pure. Sachant que notre corps est constitué de plus de 70% d'eau, il est donc capital de lui fournir une eau de qualité.

Tisanes et infusions

Les tisanes sont de plus en plus populaires. Remplaçant avantageusement le thé et le café, certaines d'entre elles offrent la particularité d'améliorer la digestion. Par exemple, la verveine, la menthe, l'anis, le fenouil et la feuille d'artichaut sont très recommandées après les repas trop copieux.

La tisane de thym peut même remplacer le café matinal. Cette plante offre l'avantage d'être énergisante, sans avoir les inconvénients du thé et du café.

Les inconvénients majeurs du café sont sa teneur élevée en caféine (excitant) et sa toxicité à forte dose. En effet, sa consommation exagérée entraîne, à plus ou moins long terme, de l'agitation, des tremblements, de l'insomnie et des palpitations cardiaques. Après l'effet légèrement euphorisant apparaît un état dépressif chez les grands consommateurs de café.

Le thé, quant à lui, est plus sournois que le café. Ses effets se font sentir plus lentement. De plus, il contient de la théine (même famille que la caféine), de la théophylline et de la théobromine. Ces dernières substances sont des bases xanthiques particulièrement intoxicantes. On déconseille le thé et le café surtout aux arthritiques, aux rhumatisants, aux goutteux et aux hypertendus.

Boissons alcoolisées

L'alcool en trop grande quantité a un effet corrosif sur le foie. Elle détruit les cellules hépatiques. Quelle que soit la boisson alcoolisée, il est toujours préférable d'insister sur la modération.

Un vin de grande qualité (un grand cru) offre l'avantage d'être une boisson nutritive, car le jus de raisin, dont il est fait, est très riche en éléments nutritifs. De plus, le vin rouge contient certains tanins qui empêchent le cholestérol de se fixer aux artères. C'est ce que certains ont qualifié de «paradoxe français». Les Français consomment autant de matières grasses que les Américains, pourtant, ils sont moins touchés par l'artériosclérose. Le vin rouge, la qualité des matières grasses et moins de stress, voilà trois facteurs qui font la différence entre l'Europe et l'Amérique.

En terminant un repas, la meilleure façon de ne pas digérer consiste à prendre un digestif. En effet, ces liqueurs ont une teneur en alcool et un taux de sucre très élevés. Le foie s'occupera d'abord du métabolisme de l'alcool et la digestion en sera retardée. Les sucres, ayant une forte tendance à fermenter, entraîneront des gaz et des ballonnements.

13

L'alimentation

La manière dont nous mangeons importe plus que ce que nous mangeons.

Bien que l'alimentation arrive bonne dernière pour ce qui est des facteurs naturels de santé (chaleur, air, eau, mouvement, repos, alimentation), elle n'en demeure pas moins très importante pour la santé individuelle et collective. Il s'agit du dernier élément d'un tout qui est l'hygiène vitale.

La vraie et grande santé émane de saines habitudes de vie, et notre alimentation quotidienne y joue un rôle de premier plan. Cela ne veut pas dire qu'on ne peut pas se permettre quelques petits écarts de temps à autre: l'important est de ne pas se les permettre tous les jours. À ce sujet, il est bon de se rappeler ceci: «L'important n'est pas ce que l'on mange entre Noël et le jour de l'An, mais bien ce que l'on mange entre le jour de l'An et Noël.» Pensons-y un peu.

On pourrait dire qu'une alimentation saine et équilibrée suivie 80 à 90% durant l'année serait très bien. Toutefois, il importe de tenir compte des prédispositions digestives des gens.

Certaines personnes digèrent très lentement et d'autres, plus rapidement. Un aliment peut s'avérer très nutritif chez l'un et mortel chez l'autre (par exemple l'arachide). «Tout est poison et rien n'est poison, il n'est question que de tolérance et de quantité», disait Paracelse.

Il est important aussi de retenir le fait suivant: «Il n'existe pas d'aliment universel ou de panacées alimentaires.» Méfions-nous toujours des publicités tapageuses où certains aliments sont perçus comme des remèdes guérissant tous les problèmes de santé. Certes, il y a des aliments (frais) qui génèrent la vie, des aliments qui entretiennent la vie et des aliments qui nuisent à la vie (raffinés et chimifiés). La variété et la frugalité restent cependant de mise.

De plus, s'il est important de bien s'alimenter et de bien digérer, il l'est tout autant de bien assimiler ce que l'on mange. Car si un aliment n'est pas bien assimilé et qu'il est tout de même digéré, il ne sera pas pleinement profitable pour nous.

Le régime sain

Il faut bien comprendre qu'un régime sain ne veut pas dire privation et monotonie. La variante en est la base.

Il n'existe pas de régime standard, adaptable à tous, d'où l'importance de la variété alimentaire, une fois de plus.

Plusieurs facteurs très importants tels que l'hérédité, l'âge, le climat, le tempérament, l'exercice physique et le mode de vie doivent être considérés pour l'établissement d'une alimentation individualisée.

L' hérédité

Ce facteur de base doit être vérifié. «Suis-je venu au monde en santé?» «Est-ce que mes parents ont souffert ou souffrent encore de maladies graves et pouvant être héréditaires telles que le diabète, les faiblesses hépatiques, les troubles d'estomac et du duodénum, des troubles rénaux, d'assimilation et d'élimination, etc.?»

Biologiquement parlant, nous sommes les héritiers directs de nos parents, mais aussi de milliards de générations. La présence chez un individu d'une faiblesse héréditaire est primordiale, tant sur les plans de la digestion et de l'assimilation que de l'élimination.

Il va sans dire que l'âge a son importance dans l'établissement d'un régime de santé. L'enfance, l'âge adulte et le troisième âge constituent des étapes qu'il faut respecter pour ce qui est de la capacité de digestion et d'assimilation de nos aliments.

L'aliment idéal du nouveau-né demeure le lait maternel. Le colostrum que la mère transmet à son enfant nettoie et prépare, chez ce dernier, le tube digestif à bien faire son travail. Le lait de la mère est mieux adapté au tout-petit que les laits reconstitués vendus sur le marché.

L'enfance et l'adolescence préparent l'âge adulte. Bien nourrir son enfant est primordial pour assurer son développement optimal. Il faut inculquer aux jeunes de bonnes habitudes alimentaires. Une fois l'âge adulte arrivé, il est souvent trop tard pour effectuer un changement, car les mauvaises habitudes sont installées depuis longtemps.

L'organisme en croissance a besoin d'un apport plus élevé en protides que celui de l'adulte. Attention, cependant, à l'excès d'aliments protéinés qui peut retarder la croissance.

Beaucoup de fruits et de légumes frais apporteront les meilleures vitamines et les minéraux les plus faciles à absorber. Les laitages ne sont pas à dédaigner non plus. Sans en abuser, privilégions surtout le yogourt qui est un lait prédigéré.

Pour un adulte sédentaire ou qui fait de l'exercice modérément, il faut éviter les excès de table, et plus particulièrement les graisses saturées, trop de viande (bœuf et porc en particulier), les aliments de style *junk food*, les desserts, les sucreries, l'alcool, etc. Rares sont les adultes qui ont la sagesse de contrôler leur appétit. Évitons la suralimentation, qui est souvent la cause de bien des maux.

Chez les personnes âgées, la digestion est, généralement, beaucoup plus lente. Le vieillard est souvent édenté, partiellement ou totalement. Son tractus intestinal est ralenti. Le foie, le pancréas et les glandes salivaires subissent une diminution de leurs sécrétions digestives. Il est préférable d'éviter complètement la suralimentation et de consommer des aliments qui se digèrent vite et bien. Les fruits et les légumes frais sont pour elles des aliments de choix; les céréales et les légumineuses peuvent très bien remplacer les viandes.

Il existe des personnes âgées qui ont commis des excès de table toute leur vie et qui ne semblent pas en souffrir. Évidemment, elles ont hérité, au départ, de leurs ancêtres d'une résistance exceptionnelle. Plusieurs de ces vieillards intempérants, qui meurent à 80 ans, auraient sans doute fait de bons centenaires, avec une vie plus sage. Une bonne hygiène alimentaire et corporelle, sans rigueur ni sectarisme, permet d'atteindre un âge avancé en santé.

L'alimentation selon le climat et l'altitude

Plusieurs de nos concitoyens et concitoyennes voyagent vers les pays tropicaux à la recherche de chaleur et de soleil pour combattre nos hivers rigoureux. En quelques heures, nous passons de – 30 °C à 30 °C. Il est bon de s'y préparer quelques semaines avant le départ.

Pays chauds

Sur le plan physiologique, l'organisme lutte contre l'excès de chaleur par la sudation. Les individus qui transpirent beaucoup sont plus à l'aise que ceux qui ne le font pas, en pays chauds.

Retenons trois notions importantes sous les climats tropicaux:

- Éviter de boire trop d'alcool;

- Éviter la suralimentation, surtout les viandes et les graisses;

- Mettre l'accent sur les fruits et les légumes frais.

Pour ce qui est de cette dernière recommandation, il faut se rappeler qu'en pays très chaud, l'amibe dysentérique, entre autres, pullule sur les aliments non lavés. Donc, il faut bien nettoyer les fruits et les légumes.

L'eau doit être embouteillée, de préférence. Plus la transpiration est abondante, plus la quantité d'eau ingurgitée doit l'être aussi.

Il est sage de suivre, autant que possible, les bonnes habitudes alimentaires en usage dans les pays visités et de pratiquer la frugalité.

Pays froids

D'une façon générale, en climat froid, il est sage d'augmenter les lipides pour mieux lutter contre la basse température (par exemple la vie polaire). Dans ces régions où le froid est intense, l'être humain, pour s'adapter, a dû consommer plus de matières grasses. En plus des vêtements convenant au climat, il faut augmenter l'apport calorique pour que l'organisme brûle plus et maintienne ainsi sa température.

En régions froides, il faut s'assurer aussi d'un apport suffisant en vitamines A et D.

La suralimentation est mieux tolérée en saison froide, mais il est difficile de situer à quel moment il y a excès.

Altitudes

En haute altitude, le manque d'oxygène nous joue des tours. Les alpinistes qui s'aventurent sur les hautes montagnes du Népal ou du Tibet en savent quelque chose.

La diminution en oxygène apporte un dégoût pour les aliments ainsi que des intolérances digestives. La tendance à la déshydratation est très élevée, car, en haute altitude, il y a moins d'humidité dans l'air. De plus, l'hyperventilation pulmonaire nous fait perdre beaucoup de liquide.

L'équilibre des acides et des bases en est perturbé; il s'ensuit donc une perte des réserves alcalines du corps humain.

L'organisme qui manque d'oxygène diminue sa capacité à brûler les nutriments qui, eux, sont friands d'oxygène.

Il y a deux points essentiels à retenir:

* Avoir des aliments de bonne qualité du point de vue biologique;

* Adapter parfaitement le régime alimentaire à l'individu.

Pour ce dernier point, il est bon de retenir ceci: premièrement, il faut adapter le régime qui convient à la personne et, deuxièmement, il faut adapter la personne au régime.

Un régime sain selon les tempéraments

Nous connaissons les quatre tempéraments d'Hippocrate, à savoir: le bilieux, le sanguin, le lymphatique et le nerveux. Ce que plusieurs ignorent, cependant, c'est la relation entre les tempéraments et l'alimentation.

Le lymphatique

C'est un sujet pâle, lent, timide, voire paresseux, plus contemplatif qu'actif, calme, gros mangeur et facilement boulimique. Le lymphatique devra prendre une nourriture plus carnée que le sanguin et le nerveux, afin de profiter davantage des stimulants dont il a besoin et qui sont fournis par les viandes. Il doit éviter la constipation et faire attention à la paresse hépatique. Faire des cures de désintoxication régulièrement lui serait salutaire.

Les légumes doivent avoir une place dominante dans son assiette, surtout les verts. Les fruits doivent être consommés en quantité modérée, mais en mettant l'accent sur les fruits doux ou mi-acides. Attention aux amidons! La sobriété doit être de mise. Il faut réduire aussi le sel.

Le lymphatique a grand intérêt à faire régulièrement de l'exercice physique afin d'activer ses échanges métaboliques.

Le bilieux

C'est un musculaire aux tissus fermes. Il est volontaire, maître de lui, bilieux, donc un insuffisant hépatique. Il doit être actif pour bien nettoyer son tube digestif. Son appétit est réglé en fonction de son activité.

Actif signifie une alimentation protéinée et plus ou moins sucrée.

Inactif signifie réduire au minimum les graisses et les sucres. Il ne faut pas oublier la ration vitaminique et minérale.

Le bilieux se doit d'être actif car, pour lui, c'est une question de vie ou de mort.

Le sanguin

Le sujet sanguin est un être très sensuel, actif, passionné, pléthorique et même agressif. Sa plus grande faiblesse est la fragilité de ses vaisseaux sanguins; il est menacé par la goutte, l'hypertension, etc. Il apprécie les plaisirs de la table, mais son ennemi demeure la pâtisserie. Il doit aussi éviter les féculents et les céréales, et leur substituer des salades et des légumes verts. Attention aussi à l'alcool et au café!

Les grillades doivent être consommées une fois par jour, le midi de préférence. Il doit éviter le porc, les viandes en sauce et les charcuteries. Les poissons maigres, le fromage blanc maigre, les salades, les légumes verts, les fruits frais doux et le yogourt doivent être consommés régulièrement.

Le jeûne peut être très bénéfique ainsi que les cures de jus. Attention aux excès alimentaires et à la tendance à négliger les légumes verts et les fruits frais!

Le nerveux

C'est un sujet maigre, agité, très sensible et mélancolique. Très intellectuel et parfois pessimiste. Il est peu porté aux sports. Son régime doit être désintoxiquant, sédatif, mais également fortifiant. Il doit ménager son foie et son pancréas, de même que ses reins. Les fruits frais, le miel et la mélasse lui fourniront un combustible à assimilation rapide, épargnant ainsi son tube digestif. Attention aux amidons!

La consommation de fruits frais et de légumes verts activera les actions nettoyantes et sédatives. Le vin et l'alcool en général sont à éviter; l'eau pure devra lui être préférée. Un seul repas de viande par jour, trois ou quatre fois par semaine, serait l'idéal.

Le nerveux a un grand besoin d'aliments riches en phosphore et en calcium pour ses activités cérébrales.

En général, son petit déjeuner doit être assez nourrissant, et le repas du soir plus léger par rapport à celui du midi.

Note: Ces types sont rarement purs et, naturellement, en cas de types mixtes, il faudra apporter les corrections nécessaires.

L'alimentation selon la dépense énergétique

Dans notre société moderne, les vrais travailleurs de force se font de plus en plus rares. Nos ancêtres devaient travailler fort physiquement pour assurer leur subsistance. Aujourd'hui, avec la mécanisation industrielle, rares sont ceux qui se servent directement de leurs muscles pour un travail donné.

Nous retrouvons, néanmoins, trois grandes catégories de travailleurs: les travailleurs intellectuels, les travailleurs manuels (ou de force) et les sportifs.

Les travailleurs intellectuels

En général, l'intellectuel est plus ou moins sédentaire. Sa ration calorique doit donc être inférieure à celle des travailleurs de force. À titre de comparaison, un travailleur de bureau a besoin de 2000 à 2500 calories par jour, tandis que le bûcheron en brûlera environ 4000 pour le même laps de temps. La ration protidique sera donc plus modérée pour le travailleur intellectuel.

La ration de glucides devra être variable, sans abus, et de bonne qualité. À éviter: les chocolats, les pâtisseries sucrées, etc., et mettre l'accent sur les fruits frais comme source de sucre.

Attention aux lipides! Comme nous le savons, les corps gras saturés bouchent les artères. Aussi, les lipides apportent beaucoup plus de calories par gramme que les protides et les glucides. Il faut favoriser les huiles de première pression et éviter les fritures.

Les phospholipides sont très importants pour le cerveau. Ils favorisent la concentration et la mémoire grâce à leur action sur l'influx nerveux. Ils sont composés de phosphore (voir à ce sujet le chapitre sur les sels minéraux) et de corps gras insaturés. La meilleure source reste la lécithine. On en trouve dans toutes les huiles de première pression, le jaune d'œuf, les noix, les amandes et les céréales entières.

Du côté des vitamines, celles du groupe B sont indispensables au bon travail du cerveau et du système nerveux. Il faut éviter l'abus du café qui, lui, hypothèque le système nerveux.

Les travailleurs manuels (ou de force)

Bien qu'ils soient beaucoup moins nombreux qu'autrefois, les travailleurs de force ne doivent pas être laissés pour compte.

D'une façon générale, ils brûlent leurs calories plus vite que les sédentaires. Ils éliminent aussi plus facilement que ces derniers. En cas de repos prolongé (vacances), un régime plus modéré s'impose, surtout les protéines animales, les légumineuses, les graisses et l'alcool en général. Ils supportent mieux les abus alimentaires que les travailleurs intellectuels.

En général, les travailleurs de force doivent avoir un apport plus élevé en protéines.

Les sportifs

On distingue généralement deux types de sportifs. Il y a ceux qui doivent fournir un effort très intense et ceux qui doivent fournir un effort sur une longue durée. Par exemple, le premier serait un sprinter et le second, un coureur de marathon.

En général, il faut aux sportifs une ration suffisamment calorique et azotée. Il est bon ici de dire que la croyance traditionnelle à l'effet qu'il faille manger de la viande pour être fort n'est pas fondée. Ainsi, les porteurs d'Asie centrale qui peuvent parcourir environ 50 km par jour, tout en transportant une charge de 50 à 60 kg, ne se nourrissent que de végétaux.

Il faut dire cependant que les viandes exercent une action favorable sur l'«agressivité» musculaire, mais attention à l'excès!

Les besoins caloriques des sportifs oscillent entre 3500 et 5000 calories par jour. On peut se fier sur le poids du sportif (en santé), mais surtout sur sa masse musculaire pour calculer ses besoins quotidiens en calories.

Les lipides de bonne qualité sont très importants pour les sportifs parce qu'ils fournissent des sources et des réserves d'énergie. Les glucides demeurent des sources d'énergie à utilisation rapide et il leur faut donc privilégier les sucres de fruits.

Du côté des vitamines et des minéraux, la ration doit être suffisante pour assurer l'efficacité du travail. Le surdosage est déconseillé, car l'organisme utilise une partie de son énergie pour éliminer l'excès. Les vitamines des groupes B, C et E sont particulièrement utiles aux sportifs. L'ensemble des minéraux et des oligo-éléments peuvent être apportés par les algues de mer (varech).

L' eau ne doit pas être négligée non plus. Cette dernière est impliquée dans le transport des nutriments ainsi que dans la bonne élimination des toxines métaboliques. N'oublions pas que l'eau est la source et le support de la vie. L'eau est aussi apportée par les fruits, les légumes, les jus et les boissons de toutes sortes. Attention au café, à l'alcool et à certaines tisanes trop diurétiques.

Les corrections alimentaires doivent être apportées selon le sport pratiqué, l'intensité qui lui est donnée et le nombre de fois qu'il est pratiqué hebdomadairement.

On peut résumer ainsi l'alimentation des sportifs:

- Effort continu et prolongé: prédominance des lipides et sucres;

- Effort bref et violent: prédominance des protides.

En terminant, signalons que la récupération est un facteur parmi les plus importants pour l'athlète ou le sportif, afin qu'il puisse fournir un maximum d'énergie au moment propice.

Notons aussi qu'aucun aliment n'est complet en lui-même. Chacun contient sa part d'utilité. L'équilibre se trouve dans la variété et le risque, lui, dans la sédentarité alimentaire.

Les nombreux méfaits des stéroïdes anabolisants

Nous ne pouvons clore un chapitre sur l'alimentation des sportifs sans glisser un mot sur les nombreux méfaits des stéroïdes anabolisants.

Les stéroïdes anabolisants sont employés pour faire augmenter plus rapidement la masse musculaire et donner plus de force aux muscles. Le corps humain fabrique ses propres stéroïdes anabolisants: ce sont les hormones mâles, la testostérone. Le corps de l'homme en produit entre 5 et 12 mg quotidiennement. Chez une personne qui utilise des stéroïdes synthétiques, elle augmente de 50 mg par jour.

L' excès des hormones synthétiques apporte des problèmes de santé très importants. En voici quelques-uns:

- diminution du bon cholestérol (HDL) et augmentation du mauvais cholestérol (LDL) qui encrasse les artères;

- augmentation de la formation des caillots sanguins;

- augmentation de la pression sanguine et artérielle;

- accroissement des risques de troubles cardiovasculaires et cérébrovasculaires;

- affaiblissement du système immunitaire;

- réduction du volume des testicules, ce qui conduit, à plus ou moins long terme, à de l'impuissance et à de la stérilité;

- maladies du foie et de l'ensemble des glandes endocrines;

- agressivité et irritabilité.

Les stéroïdes anabolisants sont des leurres, car si en apparence le corps semble se développer magnifiquement, il se produit un écroulement des forces vitales qui, à long terme, peuvent conduire à la cancérisation et à la mort.

L'alimentation selon le mode de vie et l'hérédité

Qu'est-ce qu'une vie normale? Cela ne peut être défini comme tel. La normalité de l'un n'est pas nécessairement celle de l'autre. Mais une vie relativement normale et régulière demande une alimentation riche en hydrates de carbone (sucres complexes) et faible en protides, car l'organisme peut mettre en réserve ces dernières. L'inverse, soit une existence riche en émotions de toutes sortes, exige un régime alimentaire opposé, car les dépenses en acides aminés sont plus intenses.

L' hérédité d'une personne nous informe beaucoup aussi sur ses capacités à digérer et à éliminer. À titre d'exemple, si le foie n'est pas très résistant, il faut éviter l'abus d'aliments trop difficiles à métaboliser par cet organe. Il est bon aussi de le nettoyer deux ou trois fois l'an.

L'alimentation et les races

Les gens d'origine africaine (de race noire) sont plutôt de nature moto-génito-digestive et ils ne doivent pas négliger la qualité des protéines dans leur alimentation. De plus, sous nos climats nordiques, il serait sage, surtout en hiver, de suggérer l'utilisation de l'huile de poisson (foie de morue ou de flétan) pour sa richesse en vitamine D.

Les populations d'origine asiatique (de race jaune) sont de nature moto-rythmique. L'accent doit être mis sur la qualité des sucres dont ils ont besoin. On note, chez les populations d'Extrême-Orient, une très forte tendance à fumer. Il serait sage d'éviter le plus possible cette mauvaise habitude.

Enfin, chez les gens d'origine européenne (de race blanche), ce qui inclut les Nords-Américains, il faut particulièrement mettre l'accent sur la qualité des lipides (sources d'acides gras essentiels). Étant de nature fortement neuro-sensorielle, les gens de race blanche se doivent d'éviter les abus d'alcool, de café et de toutes substances psychotropes.

Ces suggestions sont très générales et doivent être appliquées en fonction de chaque individu.

Le principe de base consiste à toujours individualiser et ne jamais s'enfermer dans des généralisations. Il n'y a pas de cure miracle appliquée à l'ensemble de la population, car chaque personne est unique.

Les maladies de civilisation

Plusieurs problèmes de santé, souvent très sérieux, semblent toucher davantage les pays dits civilisés. La principale cause en est la sédentarité. Dans nos pays, on ne bouge plus suffisamment. L'exercice améliorerait grandement notre métabolisme de base (absorption et élimination), sans avoir recours à de nombreux produits pharmaceutiques.

La sédentarité se retrouve aussi dans notre assiette. On ne mange que ce que l'on aime et, souvent, des aliments dévitalisés et chimifiés.

D'autres facteurs importants viennent jouer un rôle au niveau des maladies reliées à la civilisation. Ce sont la pollution de l'eau, de l'air et de la terre (qui sont nos trois principales sources d'aliments), la surmédicalisation, le manque de repos, la vie trop stressante des villes, la surpopulation, etc.

Voici une brève liste des maladies dites « de civilisation ».

- acné;
- artériosclérose;
- arthrite et rhumatisme;
- baisse du système immunitaire;
- brûlements d'estomac;
- calculs biliaires (pierres à la vésicule);

- calculs rénaux (pierres au rein);
- cancers;
- candida albican;
- carie dentaire;
- cholestérol (excès de);
- constipation;
- diabète;
- diarrhée;
- eczéma;
- excès de bile;
- gaz et ballonnements;
- hypertension;
- hypoglycémie;
- hypotension;
- mauvaise haleine;
- obésité et boulimie;
- ostéoporose;
- sclérose en plaques;
- sinusite;
- stérilité (masculine et féminine);
- troubles allergiques;
- troubles de la ménopause;
- troubles du système nerveux;
- troubles menstruels;
- tumeurs;
- ulcères d'estomac;
- varices et hémorroïdes;
- etc.

Ces problèmes de santé se rencontrent aussi dans les pays du tiers monde, mais sur une moins grande échelle que dans nos pays industrialisés. Regardons quelques-unes de ces maladies de plus près.

Acné

L' acné se manifeste particulièrement par l'apparition de boutons, plus ou moins gros, au niveau du visage, du dos, des épaules et des bras. Ces glandes sébacées produisent un excédent de sébum propice au développement de bactéries. Il est bon, encore une fois, de rappeler que les bactéries ne sont pas la cause mais plutôt une conséquence de l'acné. Les bactéries étant des parasites, il leur faut un terrain propice à leur développement, sans quoi elles mourront.

Sans négliger l'hygiène de la peau (se laver le visage au moins une fois par jour), il est bon de savoir que certains aliments peuvent encourager l'acné. Les boissons gazeuses, les sucreries, le chocolat, la crème glacée et surtout les fritures sont à éviter. Il faudra surtout mettre l'accent sur les légumes verts et les fruits frais ainsi que sur les aliments riches en vitamines A et B.

L' argile verte, en usage externe, sous forme de masque, aide à nettoyer la peau (2 ou 3 fois par semaine, 20 minutes chaque fois). Il est également indispensable d'éviter la constipation.

La cure printanière de feuilles de pissenlit (riche en magnésium et en carotène) fait des merveilles dans les cas d'acné. Sinon, une bonne cure de nettoyage visant le foie, les reins et l'intestin sera d'une grande utilité.

Artériosclérose

L' artériosclérose se définit comme un encrassement et un durcissement des artères. C'est un état dégénératif des artères. Il est bon de faire très attention à l'excès de protéines animales (viandes, produits laitiers, œufs) et de supprimer le sel. L'usage du tabac fait également beaucoup de ravages sur le système cardiovasculaire.

Les huiles de première pression telles que carthame, soya et olive doivent être privilégiées pour lutter contre l'artériosclérose. L'ail, l'oignon, le pissenlit, le chou, le brocoli et la luzerne sont suggérés fortement ainsi que les aliments riches en vitamines des groupes C et E.

L' exercice physique est un des meilleurs tonifiants du système artériel. Une marche quotidienne au grand air d'une durée de

20 à 30 minutes est tout à fait indiquée. Les événement stressants devraient être évités le plus possible et le repos (un minimum de huit heures de sommeil chaque nuit) est indispensable.

Arthrite et rhumatisme

L'arthrite et le rhumatisme sont causés par une mauvaise élimination des déchets, principalement du type urique (acide urique), de l'organisme. Le foie, les reins – et souvent une tendance à la constipation – sont impliqués dans ces deux maladies.

Dans un cas comme dans l'autre, il est indispensable de réduire sa consommation de protéines animales à trois repas par semaine. Il est sage de faire attention à l'abus des farineux et des fritures. Enfin, il faut éviter aussi les aliments acides ou acidifiants tels que les sauces tomate, le café, le sucre, le chocolat, les pamplemousses, les ananas, les charcuteries, etc.

L'accent doit être mis sur les aliments alcalins tels que les légumes verts (chou, brocoli, céleri...), les légumes racines (carotte, navet, betterave...), les fruits doux (pomme jaune Délicieuse, poire, pêche, abricot, raisins...), les céréales entières. La cure de raisins (deux ou trois jours par mois), le jeûne (sous surveillance) et la cure de jus de légumes font grand bien.

La chaleur est toujours d'un grand secours pour les personnes atteintes de ces maladies. Un bain chaud, une bouillotte d'eau chaude, voire le sauna, font des merveilles (s'il n'y a pas de contre-indications).

L'exercice physique, modéré au début, et le massage sont fortement recommandés pour activer les échanges métaboliques.

L'apport suffisant en calcium, en magnésium et en vitamines des groupes B, C et E feront aussi beaucoup de bien.

Du côté de la phytothérapie, les plantes dépuratives comme le radis noir et l'artichaut (pour le foie), l'aubier de tilleul et le chiendent (pour les reins), ainsi que le pissenlit, la prêle et la bardane aideront au nettoyage du corps.

La griffe du diable (*harpagophytum*) est un excellent anti-inflammatoire. L'écorce de saule et la reine des prés peuvent réduire les douleurs. On les appelle d'ailleurs «aspirine végétale», mais sans les inconvénients de l'aspirine (acide salycilique pur) de laboratoire.

La goutte, la tendinite et la bursite font partie de la grande famille de l'arthrite et du rhumatisme. Elles se traitent de la même façon.

Cancers

Des études ont démontré que les tissus cancéreux sont carencés dans les éléments suivants: calcium, vitamines A, C et E, oxygène et magnésium. D'autres substances vitaminiques ou minérales manquantes peuvent être impliquées dans le phénomène de la cancérisation. Il y a, par exemple, le sélénium, plusieurs acides animés, plusieurs vitamines du groupe B, etc.

Comme nous pouvons le constater, la cancérisation est beaucoup plus un état qu'une maladie en soi. Bien que le cancer puisse être localisé à un organe en particulier, il n'en demeure pas moins qu'il faut corriger l'état de santé général de la personne. La plupart des cancéreux sont passés par des stades de maladies plus bénignes avant d'en arriver à l'état cancéreux. En fait, la cancérisation des cellules est la phase terminale des maladies. Les défenses du corps se sont effondrées et si l'énergie vitale s'effondre aussi, c'est alors la mort qui survient.

L'alimentation joue un rôle important dans la prévention, dans la défense organique ainsi que dans le maintien de l'énergie vitale. Encore une fois, les meilleurs aliments demeurent les fruits frais, les légumes crus, les céréales entières, les noix et les aliments germés. Depuis quelques années, des chercheurs américains ont mis de l'avant la consommation des crucifères dans la lutte contre le cancer. Ils appellent le «remède vert» ce que les naturothérapeutes enseignent depuis longtemps, c'est-à-dire l'hygiène alimentaire.

La famille des crucifères comprend, entre autres: le chou, le chou-fleur, le brocoli, les choux de Bruxelles, etc. D'autres aliments se montrent aussi très actifs dans la prévention et la lutte contre le cancer: l'ail, l'oignon, le citron, la carotte, la pomme, l'épinard, le pissenlit (racines et feuilles), le raisin rouge, les poivrons verts, jaunes et rouges. Il s'agit de mettre du frais et du cru dans son assiette le plus souvent possible.

Dans tous les cas de cancer, il faut éviter ce qui peut intoxiquer et surcharger l'organisme déjà affaibli, c'est-à-dire qu'il faut réduire ou s'abstenir de consommer des substances suivantes: tabac, café, alcool, aliments raffinés et dénaturés, sucre blanc, farines blanchies, *junk food*, bonbons, chocolat, etc. Comme pour toutes autres maladies, il serait bon de rechercher le ou les causes qui ont amené à la cancérisation. En voici quelques-unes: stress au travail, à la maison, environnement négatif, agressivité exagérée, «se faire du mauvais sang», «se faire de la bile», s'en faire pour un rien, vivre avec une personne avec laquelle on ne s'entend plus (mieux vaut parfois se séparer que de se rendre malade mutuellement), rythme de vie trop trépidant, rancune, carence affective, manque de chaleur humaine, certaines soumissions religieuses... L'être humain, ne l'oublions jamais, est un tout indivisible (corps, âme, esprit).

Candida albican

Le candida albican est une levure présente dans l'intestin. Chez un individu en bonne santé, il demeure dans le tube digestif. Dans les cas de candidose, cette levure émigre dans différentes parties du corps humain par les circulations sanguine et lymphatique. Ses lieux de prédilection sont les muqueuses: sinus, bronches, vagin, etc.

La levure de type candida albican est un champignon; l'alcool, le sucre et les levures chimiques (à pain, par exemple) favorisent son développement. À cela s'ajoute habituellement une flore intestinale faible.

Les principaux signes d'intoxication par le candida albican sont la fatigue chronique, le manque de concentration, les vaginites, les bronchites, les sinusites, les otites, les amygdalites, les dermatites, les gaz et les ballonnements, la constipation en alternance avec la diarrhée, les rages de sucre et d'aliments stimulants, la dépression, les troubles menstruels, la sécrétion abondante de mucus, etc.

Les principaux produits favorisant l'intoxication au candida albican sont les antibiotiques, les sucres raffinés, le lait, les produits fermentés (par exemple la sauce soya), les vinaigres, le chocolat, les champignons, la cortisone.

Le traitement approprié à ce type de problème vise à affamer le candida albican. Les aliments et les produits à éviter sont tellement nombreux qu'il faut un régime draconien pour en venir à bout. Heureusement, certains aliments peuvent détruire cette levure; il s'agit de l'ail, des cosses de psyllium, des bactéries actives du yogourt (*acidophilus, bificus, faecium*), etc. Les irrigations du côlon s'avèrent aussi d'un grand secours. Depuis quelques années, on trouve dans les magasins de produits de santé de l'extrait de pépins de pamplemousse, un excellent fongicide. Il est préférable de le prendre sous sa forme liquide, car il s'assimile plus vite, et toujours dilué. Il faut suivre le mode d'emploi sur la bouteille.

Cholestérol (excès de)

Le cholestérol est un élément essentiel à la vie. Toutes les cellules du corps humain en renferment et le sang en contient environ 2 parties pour 1000. Son excès est cependant relié aux maladies cardiovasculaires ainsi qu'aux calculs (pierres) biliaires. Bien que le foie soit l'organe majeur dans le métabolisme du cholestérol, les reins, lors d'un état stressant, en libèrent dans le réseau sanguin. Donc, une vie énervante constitue un facteur déterminant dans les cas d'hypercholestérolémie.

L'alimentation joue tout de même un rôle important dans la prévention et le traitement de l'excès de cholestérol. Il faut réduire, voire supprimer, les fritures qui n'apportent que des gras saturés à l'organisme. Il faut éviter les viandes grasses, le beurre, la margarine, les produits laitiers, les œufs, le café, le chocolat et les pâtisseries.

Encore une fois, l'accent sera mis sur les huiles de première pression (surtout olive), les légumes verts, les fruits frais, les céréales entières (riches en fibres) et les jus de fruits et de légumes maison.

Recherchez surtout les aliments riches en vitamines des groupes B, C et E ainsi qu'en magnésium. Les draineurs du foie sont aussi fortement suggérés (radis noir, artichaut, chrysanthellum, épinevinette, boldo, etc.). La cure de radis noir avec artichaut s'avère un des meilleurs traitements pour faciliter l'évacuation de l'excès de cholestérol. À cette cure, il est bon d'associer une bonne source de fibres (psyllium, son d'avoine, son de blé) afin d'activer le transit intestinal.

Constipation

Voilà peut-être le problème le plus répandu en Amérique du Nord. Principalement relié au manque de fibres dans l'alimentation courante, la constipation est presque toujours traitée par l'emploi de substances laxatives. Et avec des laxatifs, on fabrique des constipés. Il est préférable de traiter un état de constipation avec une alimentation plus naturelle. En effet, le laxatif stimule la paroi de l'intestin pour que ce dernier se vide de son contenu. Pris de façon régulière, le laxatif devient un irritant et l'intestin attend sa «stimulation artificielle» pour fonctionner. Un autre facteur très important relié à la constipation est le sédentarisme alimentaire et physique. Manger toujours les mêmes aliments (souvent carencés) et bouger peu favorise la constipation chronique.

Donc, pour venir à bout de ce problème, il faut consommer des céréales entières, des fruits et des légumes frais, les meilleures sources de fibres.

Citons certains aliments qui régularisent l'intestin: la pomme (riche en pectine), les dattes, les pruneaux, les figues, le yogourt maigre, les graines de lin, le son de blé, l'écorce de psyllium, l'huile de lin, etc. Boire suffisamment d'eau est important pour la bonne action des fibres.

Diabète

Les principaux symptômes du diabète sont une abondante élimination d'urine, des rages de sucre, de la fatigue chronique, une prise de poids soudaine, la démangeaison de l'urètre et de l'anus, une vision floue, une soif excessive.

Le diabétique ne contrôle pas bien son taux de sucre sanguin, car son pancréas ne produit plus assez d'insuline pour faire baisser la teneur en sucre du sang. Il est donc très important de réduire au maximum les aliments sucrés, surtout les sucres à assimilation rapide tels que le sucre blanc, la cassonade, le sirop d'érable, le chocolat, les bonbons, les fruits séchés, les pâtisseries ainsi que certains excitants comme le thé, le café et l'alcool.

L'alimentation devra apporter des sucres à assimilation lente. Pour trouver les hydrates de carbone dont le corps a besoin, on mettra alors l'accent sur les pâtes alimentaires faites de farines entières, les céréales sans sucre, les légumes, les noix et les graines, etc. Certains aliments peuvent contribuer à faire baisser le taux de sucre sanguin; c'est le cas des bleuets notamment. La feuille de bleuet en infusion ou sa racine en capsule sont hypoglycémiantes.

Diarrhée

Une selle liquide passagère ne représente pas réellement un danger pour la santé. Au contraire, cela prouve que le corps fait un effort pour éliminer des toxines. On ne parle pas non plus d'une diarrhée de fermentation, qui survient après un état de constipation plus ou moins long. Ce n'est qu'un mouvement libérateur engendré par notre organisme.

Une diarrhée chronique, persistante, ou durant trop longtemps et en quantité trop abondante (plus de trois selles liquides par jour) mérite une attention particulière. Il faut éviter la déshydratation. En effet, une personne atteinte de diarrhée perd beaucoup de liquide. Il faut donc s'assurer qu'elle boive suffisamment d'eau. Il faut aussi éviter les aliments épicés, acides ou irritants qui ne feraient qu'aggraver le problème. Sont à proscrire également les produits laitiers (sauf le yogourt), les viandes rouges, le porc, le chocolat, les œufs, les crudités, le café, les pâtisseries, etc.

L'eau de cuisson du riz brun – et le riz brun lui-même – possède une action constipante. Elle assure aussi une réhydratation de l'organisme. Le yogourt nature aide à rebâtir la flore intestinale et la purée de pommes maison, riche en pectine, aide à adoucir l'intestin irrité. La caroube (non sucrée) constitue un excellent aliment pour combattre la diarrhée.

L'intestin étant déjà fortement ébranlé, il serait sage de lui assurer un repos bien mérité de quelques jours. Si l'alimentation ne suffit pas à calmer la diarrhée, on peut suggérer des capsules de bactéries lactiques (capsules de yogourt) ou de charbon végétal activé. Dans les cas sérieux, consultez toujours un médecin.

Eczéma

Deux grandes causes se rencontrent presque toujours ensemble dans les cas d'eczéma: l'hyperacidité et le stress.

Pour l'hyperacidité, il est essentiel d'éviter les fruits acides (tomate, pamplemousse, orange, kiwi, etc.), l'abus de protéines (viandes, légumineuses), le café, le sucre blanc, les épices fortes, les sauces tomate (spaghetti, pizza), les vinaigrettes et les marinades.

Un bon tonique dépuratif, contenant entre autres de la bardane, du pissenlit et de la pensée sauvage, aidera à abaisser le taux d'acidité du corps humain. Il faut aussi éviter la constipation.

Les aliments riches en vitamines A et B ainsi qu'en calcium, en magnésium, en potassium, en phophore et en zinc seront privilégiés, et surtout les légumes verts.

Les bains avec du bicarbonate de soude ou de l'argile blanche sont recommandés.

Pour le stress, les massages, la relaxation et la méditation seront d'une aide précieuse.

Gaz et ballonnements

Le plus souvent, les gaz et les ballonnements intestinaux sont causés par un manque de bile. Un foie paresseux en est presque toujours la cause principale. Les gens qui n'ont plus de vésicule biliaire présentent souvent ce problème de façon chronique.

Certains aliments tels que les légumineuses (fèves, pois) sont plus propices à fermenter dans l'intestin. La combinaison de sucre et de féculent favorise également la fermentation intestinale.

La mastication lente (10 à 15 fois chaque bouchée) aide à mieux digérer les sucres et les hydrates de carbone, les rendant moins fermentescibles. Les tisanes de fenouil, d'anis et de menthe poivrée, après les repas, en remplacement du thé ou du café, donnent d'excellents résultats.

Enfin, certaines plantes favorisent l'écoulement de la bile: l'artichaut, le boldo, l'épine-vinette et le romarin, entre autres.

Hypertension

Il existe plusieurs causes possibles à l'hypertension. Elles peuvent être d'origine digestive (suralimentation, abus de sel, de café), rénale, circulatoire, mais le plus souvent nerveuse. En effet, le stress et un rythme de vie trop trépidant sont plus souvent qu'autrement la principale cause de haute pression.

Du côté alimentaire, il est sage de supprimer le sel, le café, le thé, le chocolat, les épices fortes, l'alcool et le tabac. Les vitamines du groupe B sont un bon soutien du système neurovasculaire et le groupe vitaminique C fortifie les glandes surrénales, souvent impliquées dans l'hypertension.

Les plantes calmantes sont aussi très utiles (camomille, tilleul, oranger, etc.) de même que l'ail, qui est mondialement reconnu pour ses propriétés hypotensives. Bien que l'ail fasse baisser la pression trop élevée, en usage normal, il ne semble pas provoquer de basse pression contrairement aux produits médicamenteux hypotenseurs.

Hypotension

La basse pression est presque toujours reliée à un état de grande fatigue ainsi qu'à des carences vitaminiques et minérales. Un bon tonique à base de fer ou de foie de veau s'avère très efficace la plupart du temps.

Du côté des vitamines, les groupes B, C et E seront les plus utiles ainsi qu'une source de minéraux tels que les algues de mer. Une bonne oxygénation (l'oxygène est aussi un aliment) par une marche quotidienne en plein air fortifie.

Mauvaise haleine

La mauvaise haleine est très souvent reliée à la constipation. Les fermentations intestinales produisent des gaz qui gagnent le réseau sanguin, puis de là, les voies respiratoires supérieures et, finalement, la bouche. Quelquefois, il peut s'agir de problèmes de gencives ou de dents, mais cela est plutôt rare, contrairement à ce que laisse penser la publicité sur les produits dentaires (pâtes dentifrices, rince-bouche, etc.).

Une bonne hygiène alimentaire (fruits et légumes frais) et une bonne source de fibres (son d'avoine, de blé, psyllium) aident beaucoup. Dans bien des cas, il est utile de nettoyer le foie (radis noir, artichaut, épine-vinette, boldo). La chlorophylle est un bon « désodorisant » du tube digestif.

Dans certains cas, l'usage de laxatifs s'avère judicieux. L'emploi des plantes telles que le séné, l'écorce sacrée (*cascara sagrada*) et la réglisse est alors essentiel.

Obésité et boulimie

L' obsession de la minceur a fait plus de personnes malheureuses que de personnes heureuses. Vouloir maigrir pour améliorer sa santé, cela est bien et souhaitable. Un surplus de graisse encrasse l'organisme, le surcharge et l'épuise. Par contre, vouloir maigrir pour obéir à une mode, ressembler à des femmes et des hommes stéréotypés des magazines et retouchés à l'ordinateur (eh oui !), cela est dangereux et presque impossible à réaliser pour la majorité d'entre nous. Le poids idéal pour tous n'existe pas.

La grosseur de l'ossature et le tempérament sont les facteurs les plus déterminants de notre poids. Avec une alimentation saine et équilibrée, notre nature humaine se modèlera selon de justes proportions, et non pas uniquement à un poids ou à des mensurations.

Il n'y a pas que la quantité de calories qui influence notre poids, il y a aussi leur qualité et la dépense qu'on en fait.

Pour perdre du poids et ne pas le reprendre aussitôt, il n'y a qu'une bonne solution: changer sa façon de s'alimenter. Il faut s'habituer à une meilleure hygiène alimentaire et éviter les aliments dénaturés tels que le sucre blanc, le chocolat, les charcuteries, les croustilles, les bonbons, etc. J'ai bien dit *éviter* et non pas *supprimer*. De temps en temps, il est bon de se faire plaisir, de se gâter un peu.

Pour perdre des calories, il faut les brûler. Et pour y parvenir, rien de mieux que l'exercice physique. L'avantage est que non seulement on perd du poids, mais aussi le corps se raffine, grâce au système musculaire. De plus, on se sent mieux dans sa peau.

Les corps gras sont les plus importantes sources de calories; il faut donc les réduire le plus possible, surtout ceux qui sont fortement saturés (fritures). Il est bon de remplacer les calories vides (sucre blanc, alcool) par des calories nutritives (hydrates de carbone complexes). Il faut suivre aussi les combinaisons alimentaires, si possible, et boire suffisamment d'eau. Les aliments riches en fibres aident à réduire l'appétit.

Certaines plantes sont d'une aide précieuse pour la perte de poids, mais elles ne remplacent pas les aliments ou le régime. Ce sont le fucus, la laminaire, la germandrée, la spiruline (coupe-faim) et l'aloès noir (élimination). De plus, les tisanes diurétiques aident à éliminer l'excédent d'eau retenu dans les tissus (pissenlit, queues de cerises, reine-des-prés, prêle, chiendent, etc.).

En terminant, il est très important de se rappeler que le poids idéal, c'est celui où l'on se sent le mieux.

La phobie des calories a favorisé l'apparition d'une nouvelle maladie grave: la boulimie. Les boulimiques, tant hommes que femmes, ne se remarquent pas. Ils ont une silhouette d'apparence normale, mais elle a été obtenue à l'aide de laxatifs, de diurétiques, de coupe-faim et, dans les pires cas, de vomissements volontaires sur une base régulière. Inutile d'insister sur le fait que les boulimiques souffrent de graves carences vitaminiques, minérales, protidiques et lipidiques.

La boulimie, c'est la peur de grossir, et une psychothérapie s'avère souvent indispensable. Certains symptômes physiques apparaissent dans les cas graves: palpitations cardiaques, faiblesse, grande fatigue physique et intellectuelle, baisse importante de l'immunité naturelle, déminéralisation, problèmes reliés aux ongles, aux cheveux, aux dents, etc.

Pour y remédier, on peut faire appel aux super-aliments; les plus utiles sont la spiruline, le foie de veau, la levure, les algues de mer et la gelée royale.

Ostéoporose

L' ostéoporose est une décalcification avancée de l'ossature. Les principales causes sont le manque d'exercice et une mauvaise assimilation du calcium, la première cause impliquant habituellement la seconde. En effet, l'exercice physique, même modéré, est le meilleur outil de prévention pour éviter la perte de la matière osseuse.

La marche quotidienne, de préférence à l'extérieur, ainsi que la pratique d'une activité sportive, deux ou trois fois par semaine, favorisent grandement la régénération et l'entretien des tissus osseux ainsi que l'assimilation calcique.

Du côté alimentaire, les sources de calcium et de phosphore ainsi que de vitamine D sont à privilégier: les fromages maigres, le yogourt, les légumes racines, les légumes verts, les légumineuses, la graine de sésame, l'huile de foie de flétan, etc.

La poudre d'os avec vitamines A et D s'avère un supplément de choix. On peut suggérer aussi la prêle et la consoude, deux autres plantes reminéralisantes.

Sinusite

Les causes profondes de la sinusite sont nombreuses. L'idéal est toujours de les identifier et de les supprimer, si cela est possible. Dans tous les cas de sinusite, il faut voir à éliminer les toxines de l'organisme. Plusieurs cas de sinusites ont, comme cause métabolique, la constipation.

Une cure de désintoxication visant le foie, les reins et les intestins est d'une grande utilité. Les inhalations d'huiles essentielles d'eucalyptus, de pin et de thym aident énormément, de même que les cataplasmes d'argile verte, sur le front et les joues.

Il serait bon de supprimer les aliments qui forment du mucus tels que le lait, les fromages, l'avoine, les bananes et les farineux. Il faut éviter aussi le tabagisme.

Les vitamines A et C sont recommandées de même que la tisane de thym.

Troubles de la ménopause

Les chaleurs reliées à la ménopause sont amplifiées par certains aliments tels que le sucre, le chocolat, l'alcool, les épices fortes, le café, l'abus de protéines animales ainsi que par la suralimentation.

Il est fortement suggéré de rééquilibrer son alimentation et de mettre l'accent sur les fruits et les légumes frais, les céréales entières, les noix, l'huile de première pression (germe de blé, tournesol, soya, olive), etc.

Le soleil, sans en abuser, et l'exercice physique au grand air (taï chi) aident beaucoup. La relaxation et le massage réduisent le stress et les chaleurs.

La vitamine E (huile de germe de blé, s'il y a hypertension), l'huile d'onagre, l'huile de bourrache et la sauge éliminent souvent les bouffées de chaleurs. Les algues marines s'avèrent une bonne source d'oligo-éléments indispensables au bon fonctionnement glandulaire.

Méfiez-vous de l'hormonothérapie qui augmente les risques de cancer du sein et de l'utérus ainsi que de thrombose.

Pour éviter la décalcification osseuse, il faut mettre l'accent sur les légumes verts, le yogourt, les fromages maigres, les noix et les graines. La poudre d'os est l'une des meilleures sources de calcium et la prêle, un bon reminéralisant.

Troubles du système nerveux

Peu d'ouvrages sur le système nerveux mentionnent l'alimentation. Nous mangeons pour nourrir notre organisme, et le système nerveux en fait partie. Ce sont le cerveau et les nerfs qui contrôlent le corps humain. Il importe de bien nourrir ce système de contrôle si nous ne voulons pas qu'il flanche.

Les nutriments indispensables au bon fonctionnement du système nerveux sont les acides gras essentiels, les vitamines des groupes A et B, le calcium, le phosphore, le magnésium et le potassium. Il serait sage de mettre l'accent sur les huiles de première pression, les levures alimentaires (bière, vin, Torula), les légumes racines (carotte, betterave), les céréales entières, les noix et les fruits frais.

Il faut éviter les aliments qui irritent ou dépriment le système nerveux tels que le café, le thé, le chocolat, l'alcool, les gras saturés (fritures, sucre blanc, épices fortes, etc.).

Il faut mettre de côté aussi les tranquillisants, les calmants, les somnifères, et leur préférer des tisanes (camomille, fleur d'oranger, tilleul, valériane, passiflore).

Enfin, il serait sage de s'accorder tout le repos dont nous avons besoin: dormir huit heures par nuit, sinon plus, si nécessaire, prendre des vacances loin du bruit et de la vie trépidante des grandes villes, se faire masser, s'accorder des moments de loisirs, seul ou en groupe, prendre la vie du bon côté.

Troubles menstruels

La plupart des troubles menstruels ont pour origine un rythme de vie déréglé. Le stress, le manque de repos et les carences nutritionnelles sont souvent les coupables.

Il importe de s'assurer d'un apport vitaminique et minéral adéquat. Les vitamines des groupes B, B_6, C et E ainsi que le calcium, le magnésium, le phosphore, le zinc et le potassium sont indispensables.

Soulignons que l'huile d'onagre, l'huile de bourrache, la sauge et la salsepareille constituent des aides précieuces dans ce cas. On trouve dans l'anis, le houblon, la sauge, le sorbier, la guimauve, la capselle, l'avoine et la carotte de puissantes phytohormones.

Ulcères d'estomac

L' ulcération de la membrane muqueuse de l'estomac est un problème de santé moins relié à une mauvaise alimentation qu'à un rythme de vie stressant. En effet, le stress est la principale cause d'ulcères d'estomac. La mauvaise alimentation peut – il va de soi – aggraver un problème d'irritation stomacale au point de l'ulcérer. Les reflux de bile acide peuvent aussi s'attaquer à la paroi stomacale.

En cas d'ulcères d'estomac, il faut s'accorder du repos physique, mental et digestif. Rappelons que des troubles d'estomac prolongés peuvent aboutir à de l'anémie. Il faut éviter les soucis, les émotions fortes et l'anxiété.

Sur le plan de l'alimentation, certains milieux du domaine de la santé préconisent un régime lacté. Le lait, il est vrai, calme la sensation de brûlement. Mais les produits laitiers sont riches en matières grasses. Or, ces dernières acidifient davantage le milieu stomacal. Il faut donc limiter la consommation de produits laitiers plutôt que de l'encourager.

Les jus de chou et de carotte font des merveilles dans la cicatrisation d'un ulcère; de même que le chou, la luzerne et le brocoli sont riches en vitamine U, qui est cicatrisante. La carotte est riche en provitamine A, indispensable à la santé des muqueuses.

Il est évidemment très sage de supprimer les aliments irritants tels que le café, le thé, le sucre blanc, l'alcool, les pâtisseries, etc.

L'argilothérapie est souvent d'un grand secours. Il s'agit de prendre, le matin à jeun, un demi-verre d'eau dans lequel on mélange 2,5 ml d'argile blanche. L'idéal est de préparer le mélange le soir et de laisser tremper l'argile toute la nuit. On peut faire ce traitement de une à trois semaines environ.

Attention, il faut éviter de consommer des aliments gras et des huiles en même temps que l'argile, car il peut se former un bouchon dans l'intestin. Il en va de même pour le tabagisme. La nicotine est un irritant puissant pour la paroi stomacale.

Enfin, les vitamines du groupe B, la lécithine en grains et les plantes calmantes (camomille, valériane, tilleul, passiflore, mélisse, etc.) sont d'un grand secours.

Varices et hémorroïdes

Les veines variqueuses, lorsqu'elles apparaissent sur les jambes, sont appelées varices, et lorsqu'elles se situent au niveau de l'anus, elles s'appellent hémorroïdes. Dans les deux cas, il y a dilatation des veines.

Plusieurs facteurs entrent en cause dans les troubles de varices et d'hémorroïdes. La sédentarité physique et alimentaire en sont les principaux points de départ. En effet, le manque d'exercice et les longues heures passées debout favorisent la stagnation du sang dans les membres inférieurs. Le manque d'aliments frais et crus (fruits et légumes) et l'abus d'aliments gras (fritures) et farineux contribuent à l'apparition de ce problème. Pour ce qui est des hémorroïdes, la constipation chronique constitue un facteur déterminant.

En médecine naturelle, le traitement des varices et des hémorroïdes commence par une meilleure hygiène alimentaire. On suggère, dans les deux cas, d'éviter les pâtisseries, les farineux, le sucre, les épices fortes (surtout pour les hémorroïdes), les fromages gras et la plupart des repas minute (pizza, hot dog, repas surgelés, hamburger, etc.).

Les aliments riches en vitamines des groupes C, E et K sont fortement recommandés de même que les algues de mer riches en oligo-éléments.

Certaines plantes peuvent renforcer le système veineux: la vigne rouge (riche en flavonoïdes), le marron d'Inde, l'hamamélis et la prêle. Les cures de jus sont également d'un grand secours ainsi que l'exercice physique (modérément pour débuter) et les bains tièdes aux algues de mer.

Conclusion

Perspectives d'avenir et biodiversité

L'être humain moderne, poussé par les progrès de la science industrielle, est sérieusement menacé au niveau de son alimentation. Aux nombreux dangers de la suralimentation s'ajoute maintenant celui de l'empoisonnement. En effet, les nombreuses substances chimiques introduites volontairement ou non, dans nos aliments, ruinent la santé individuelle et collective de nos sociétés dites modernes. Il devient donc urgent de se tourner vers une alimentation vivante et saine pourvu que cela soit encore possible.

L'avenir de l'alimentation humaine passe par la biodiversité que nous offre la nature. À l'opposé des grandes cultures et des grands élevages intensifs (par exemple le blé, le riz, le bœuf, le porc) se situent l'agriculture et l'élevage diversifié.

D'ailleurs, les problèmes causés par les cultures intensives sont énormes: appauvrissement des sols, augmentation des parasites et des insectes nuisibles, diminution de la valeur nutritive des aliments. Soulignons aussi la destruction des grandes forêts qui cause l'érosion des sols et, à court terme, la désertification.

Depuis quelques décennies, des chercheurs du monde entier sonnent l'alarme au sujet de la pollution des mers et des océans qui sont une abondante source alimentaire pour l'humanité. La destruction des algues présente aussi une sérieuse menace pour la survie de l'humanité, car elles sont les plus grands pourvoyeurs d'oxygène sur la planète.

De son côté, l'élevage intensif est une industrie extrêmement polluante. C'est aussi un gaspillage des céréales et des grains nécessaires à la croissance des animaux qui pourraient servir à nourrir directement des populations entières. Cela ne veut pas dire qu'il ne faut plus consommer de viande; il faut plutôt réduire la consommation exagérée de viande.

Il existe tellement de variétés de plantes comestibles qui ne sont pas ou peu cultivées et qui pourraient nous fournir d'excellents aliments. On cultive d'ailleurs en fonction du rendement à l'hectare, et non pas en fonction de la valeur nutritive des plantes.

Des changements majeurs s'imposent dans nos habitudes agricoles et la volonté politique n'y est malheureusement pas. Si nos politiciens n'ont plus le pouvoir réel de décider de ces changements, eh bien, demandons-les nous-mêmes. Plus grande sera la demande auprès des fabricants de produits alimentaires, plus forte sera la tendance vers l'amélioration de la qualité et de la diversité alimentaire.

Entre-temps, je vous suggère de lire les étiquettes avant d'acheter et de préférer les aliments naturels et non trafiqués. On commence à trouver sur le marché des aliments de culture biologique. C'est un début, mais il faudra aller encore plus loin si on espère survivre en tant qu'espèce sur notre planète.

Glossaire

Antiseptique: Produit, substance ou aliment qui empêche l'infection ou la retarde.

Antispasmodique: Vertu principalement calmante; qui combat les spasmes et les tremblements.

Anthropologie: (du grec *anthrôpos* qui veut dire homme): Étude de l'homme envisagée ici dans son aspect global: social, culturel, physique, etc.

Aphrodisiaque: Vertu de nature tonique; se dit d'une substance qui active l'énergie sexuelle.

Assimilation: Transformation en matière humaine des éléments nutritifs que nous consommons.

Astringent: Substance qui exerce un resserrement sur les tissus vivants. *Exemples*: alun, jus de citron, pommade de zinc, etc. Vertu tonique à l'opposé de laxatif et d'émollient.

Bactéricide: Substance ou aliment qui tue des bactéries ou qui empêche leur prolifération.

Cholagogue: Qui facilite l'évacuation de la bile; vertu drainante.

Dépuratif: Plante ou aliment qui favorise le nettoyage des émonctoires (reins, intestins, voies respiratoires, peau) et l'élimination des toxines métaboliques.

Digestion: Ensemble des transformations subies par les aliments afin d'être assimilés (mastication, salivation, sucs digestifs, etc.).

Diurétique: Substance qui favorise la sécrétion urinaire comme le pissenlit, la busserole, le fenouil, etc.

Élimination: Évacuation par les émonctoires (côlon, voies respiratoires, reins et voies urinaires, peau) des déchets résultant du métabolisme.

Émollient: Produit ou substance qui exerce un relâchement des tissus; vertu principalement calmante.

Flore intestinale: Ensemble des bactéries présentes naturellement dans notre intestin, ces dernières assurant une partie de la digestion, de l'assimilation et de l'élimination, au niveau du métabolisme alimentaire.

Frugivores: Êtres qui se nourrissent principalement de fruits et de noix.

Galactogène: Vertu drainante; se dit d'un aliment qui favorise la sécrétion du lait chez la femme qui allaite.

Hépatique: Qui se rapporte au foie.

Hypotenseur: Vertu calmante; aliment ou plante médicinale qui favorise la baisse de la pression artérielle.

Laxatif: Plante ou aliment qui favorise l'évacuation des selles en activant le transit intestinal.

Matières azotées: Aliments riches en protéines.

Métabolisme: Ensemble des fonctions de la digestion, de l'assimilation et de l'élimination.

Nutrition: Ensemble des fonctions digestives, assimilatrices et éliminatrices. Le phénomène nutritionnel est avant tout l'alimentation de nos cellules par le sang, d'où son étroite relation avec le système rythmique. Ceci inclut les nombreuses activités circulatoires, respiratoires et endocriniennes.

Oligo-éléments: Substances d'origine minérale, indispensables au bon fonctionnement du corps humain. Les oligo-éléments y sont présents en très petites quantités, à l'état de trace (voir à ce sujet le chapitre 4).

Purgatif: Se dit d'une substance qui active violemment le transit intestinal.

Reminéralisant: Se dit d'un aliment riche en substances minérales (*exemples*: calcium, magnésium, fer, etc.) favorisant l'augmentation de ces mêmes substances dans le corps humain.

Tonique: Se dit de toutes substances ou de tous aliments qui favorisent l'activité d'un ou de plusieurs organes et même du corps entier; se dit aussi des vertus astringeantes, aphrodisiaques, etc.

Vermifuge: Aliment qui combat les parasites intestinaux.

Vitamines: Substances essentielles à la vie et requises en petites quantités par le corps humain (voir à ce sujet le chapitre 3).

Bibliographie

BAUGÉ-PRÉVOST, Dr Jacques. *Précis de naturothérapie*, Montréal, Éditions Celtiques, 1983.

BAUGÉ-PRÉVOST, Dr Jacques. *Guérir par la médecine naturelle*, Montréal, Éditions Quebecor, 1993.

BAUGÉ-PRÉVOST, Dr Jacques. *La médecine par les plantes*, Montréal, Éditions Quebecor, 1993.

BAUGÉ-PRÉVOST, Dr Jacques. *La santé par les produits de la ruche*, Montréal, Éditions Quebecor, 1994.

BAUGÉ-PRÉVOST, Dr Jacques. *L'abus des médicaments et ses dangers*, Montréal, Éditions Quebecor, 1995.

BAUGÉ-PRÉVOST, Dr Jacques. *Le sang et votre santé*, Montréal, Éditions Quebecor, 1996.

DEXTREIT, Raymond. *La cure végétale*, Paris, Éditions Vivre en Harmonie, 1960.

SHELTON, H. M. *Les combinaisons alimentaires*, Paris, Le Courrier du Livre, 1968.

SHELTON, H. M. *Le jeûne*, Paris, Le Courrier du Livre, 1970.

VALNET, Jean. *Phytothérapie*, Paris, Éditions Maloïne, 1983.

VALNET, Jean. *Aromathérapie*, Paris, Éditions Maloïne, 1984.

VALNET, Jean. *Se soigner par les légumes, les fruits et les céréales*, Éditions Maloïne, 1985.

Table des matières

Une question de bon goût.   9

Introduction   11

Chapitre 1   **Argumentations historiques,
              anthropologiques et anatomiques**   13
              La dentition   15
              Le tube digestif.   18

Chapitre 2   **La tripartition des corps nutritionnels** . .   23
              Les calories   23
              Les protéines: les briques de l'édifice humain   24
              Propriétés de quelques miels   33

Chapitre 3   **Les vitamines.**   39
              Vitamine A.   40
              Vitamine B.   41
              Autres vitamines du groupe B.   43
              Vitamine C.   44
              Vitamine D ou calciférol   44
              Vitamine E ou tocophérol.   45
              Vitamine K.   45
              Vitamine U   46
              Antivitamines.   46

Chapitre 4   Les sels minéraux   49
Calcium   49
Phosphore   50
Magnésium   50
Potassium   51
Fer   51
Zinc   51
Soufre   52
Sélénium   52
Iode   53
Cuivre   53
Fluor   53
Silice   54
Lithium   54
Symptômes pouvant être reliés à des carences
vitaminiques ou minérales   54

Chapitre 5   Les fibres   57

Chapitre 6   Les fruits   59
Les fruits oléagineux   59
Les fruits aqueux et sucrés   63
Les fruits amylacés   68

Chapitre 7   Les légumes, les légumineuses,
les condiments et les aromates   71
Les légumes   71
Les légumineuses   79
Les condiments et les aromates   81

Chapitre 8   Les céréales et les germinations   91
Les céréales   91
Les germinations   97

Chapitre 9   L'absorption et l'assimilation   101
Les combinaisons alimentaires   101

Chapitre 10   La chimie alimentaire   105
La transformation et le raffinage   108
Le charbon végétal activé   109

Chapitre 11 Les super-aliments ou les suppléments
             alimentaires.   111

Chapitre 12 Les boissons   121

Chapitre 13 L'alimentation.   127
             Le régime sain   128
             L'hérédité.   128
             L'alimentation selon le climat et l'altitude. .   130
             Un régime sain selon les tempéraments   132
             L'alimentation selon la dépense énergétique   133
             *Les nombreux méfaits des stéroïdes
             anabolisants.*   136
             *L'alimentation selon le mode de vie
             et l'hérédité*   137
             L'alimentation et les races   137

Chapitre 14 Les maladies de civilisation   139

Conclusion   Perspectives d'avenir et biodiversité   157

Glossaire   159

Bibliographie.   163